En cas de bonheur

David
FOENKINOS

En cas de bonheur

ROMAN

À Claire C.

« Le mariage est un enfer. »
Henry de Montherlant

« Jamais je n'ai été aussi heureux
que pendant mes années de mariage. »
Auteur inconnu

PROLOGUE

Cela faisait longtemps que Jean-Jacques n'avait pas cherché à paraître sous son meilleur jour. Afin de perfectionner la musculature de ses mollets, il préférait depuis peu monter chez lui en utilisant les escaliers. L'ascenseur lui semblait être réservé aux hommes dont les vies sont molles, aux hommes qui ne cherchent plus à séduire. Il rentrait trois minutes avant vingt heures et souriait mécaniquement à Claire. Ce sourire évacué comme on chasse une mouche, il allumait la télévision. Moins sa vie conjugale l'intéressait, plus il se lamentait sur le sort des populations en guerre. D'une manière illusoire et occidentale, il trouvait dans le drame kurde quelque écho à son effritement.

Le couple est le pays qui a la plus faible espérance de vie. Huit ans, c'était déjà presque un exploit. Jean-Jacques et Claire échangeaient des signes de tendresse, certes fugitifs ; des tendresses comme des vestiges ; des effleurements en forme de nostalgie ; des baisers en coin, en pèlerinage de ce qui fut des baisers en rond. Cette complicité réelle cachait, aux yeux des autres, leur véritable érosion. On les citait en exemple, ce qui les confortait dans leur routine. En revanche, personne ne comprenait pourquoi ils ne faisaient pas d'autre enfant. Un couple comme le leur, une telle image de perfection, se retrouvait dans l'obligation quasi militaire de procréer à nouveau. Au début, ils avaient souri d'une manière grossière, repoussant aux lendemains ce qui pouvait être fait dans les neuf mois. Puis le temps avait passé, et ils s'étaient retrouvés face à une évidence : ils n'avaient pas envie de faire un second enfant. Pour se justifier, ils avaient joué à ce qu'ils n'étaient pas. Jean-Jacques et Claire avaient exprimé le souhait de préserver du temps pour eux. Tout le monde trouvait cette réponse formidable. On applaudissait leur mensonge social, en chuchotant que l'amour agonise sans égoïsme.

Louise, leur fille de six ans, était épuisée. Pas une miette de son temps libre ne survivait aux cours de danse, de piano, et aux initiations au chinois (Jean-Jacques avait lu quelque part que, dans quarante ans, l'humanité entière parlerait chinois ; c'était un homme rationnel et prévoyant.) Ils voulaient à tout prix en faire une fille modèle[1], comme un faire-valoir du bonheur. Ainsi, rien n'était plus important que l'illusion de son épanouissement. Mais quand elle jouait du piano dans le salon, il était difficile de ne pas penser au quatuor à cordes du *Titanic*.

---

1. Elle deviendrait donc (forcément) quelque peu neurasthénique.

PREMIÈRE PARTIE

I

Le travail de Jean-Jacques suscitait un intérêt limité.
Il était une sorte de conseiller en quelque chose, en
rapport avec de l'argent et du mouvement d'argent.
Une des qualités majeures pour cet emploi était donc
d'avoir le cou solide pour pouvoir pivoter aisément.
On trouvait dans sa société beaucoup d'ordinateurs et
des hommes en cravate. Des hommes qui prenaient le
métro à heure fixe et qui rentraient en sueur. L'entreprise occupait une grande tour. Le patron trônait au
dernier étage. Mais après les attentats du 11 septem-
bre, il avait décidé d'inverser la hiérarchie. Les sous-
fifres jouissaient dorénavant d'une vue imprenable sur
Paris. Personne n'avait osé critiquer ce changement,
mais plus d'un employé avait été perturbé par cette
nouvelle situation : quand on a pour unique objectif
de monter, il est difficile de se résoudre à descendre.

Édouard, le meilleur ami de Jean-Jacques, était
aussi son plus proche collaborateur. Caricature de
l'homme sûr de lui, il offrait tous les gages d'un
épanouissement sans failles. Quand il décrochait un
contrat, il se levait subitement et montait sur un
bureau. Il fallait que tous soient informés de ses succès. Il était toujours le premier pour organiser des apéritifs tardifs, trinquer à tout-va, et créer cette fausse

13

bonne humeur où l'on est incapable de parler d'autre chose que du travail. Ses extravagances sociales ne l'empêchaient pas d'être l'ami le plus attentif qui soit. Son amitié avec Jean-Jacques datait plus particulièrement de cette période difficile qu'avait été son divorce. À l'époque, son couple s'était déchiré d'une manière lamentable, avec des avocats et des témoignages à charge. Les années passant, la situation avait radicalement changé. Édouard était devenu un célibataire habité par l'obsession de la séduction. Quand il était avec ses enfants, il ne cessait de les gâter. Et le reste du temps, il allait de femme en femme. Il se répandait en confidences, et les oreilles de Jean-Jacques mélangeaient prénoms féminins et positions sexuelles. Frustré de ne pas avoir une vie aussi trépidante, Jean-Jacques voulait éviter ce genre de discussion. Édouard repéra un malaise qu'il fallait tout de suite analyser :

« Comment ça se passe avec Claire ? »

Jean-Jacques répondit que tout allait très bien, mais son intonation avait pris des allures de piano déménagé. Il ne pouvait pas dire non plus que tout allait mal. Sa relation avec Claire était juste un oubli dans l'entre-deux des définitions amoureuses.

« Et sexuellement ? »

Là, il ne put répondre. Le constat d'Édouard était radical : son ami devait se trouver une maîtresse. À cet instant précis de sa vie, Jean-Jacques pensa qu'il serait capable de tromper Claire. Pour conjurer l'angoisse d'une telle pensée, il se réfugia aussitôt dans un de leurs souvenirs qu'il chérissait plus que tout. Édouard le coupa :

« Tu penses à Genève ? »

Il était donc si prévisible qu'on pouvait lire dans ses pensées. Lentement, des sueurs l'envahissaient. Il essayait d'imaginer les mensonges qu'il dirait à sa femme. Il visualisait déjà cette maîtresse qu'il ne connaissait pas. Elle était l'incarnation presque monstrueuse de tous ses fantasmes, mélange baroque des femmes qui lui avaient plu, même fugitivement, au cours des vingt dernières années. Jean-Jacques, dans un élan ridicule d'anticipation, se sentait déjà coupable. Il tentait de se rassurer en estimant impossible la fidélité éternelle, mais il n'en demeurait pas moins fébrile. Ce ne serait jamais pour lui une entreprise anodine. Il cherchait à se convaincre, à se prouver que son désir d'une autre femme était aussi inéluctable que l'érosion de son propre couple. Sûrement, Claire le comprendrait, il ne devait pas s'angoisser. Ce n'était pas comme s'il l'avait trompée dans les premiers mois de leur mariage ; l'adultère grandissait en légitimité avec les années. Elle aussi aurait peut-être un amant. Était-ce déjà le cas ? Sauf pour la mort, les femmes ont toujours de l'avance sur les hommes.

Quelques mois plus tard, Jean-Jacques se retrouvait dans une chambre d'hôtel avec Sonia. Et ce n'était pas la première fois. Embrasser une nouvelle femme lui offrait une autre énergie, insoupçonnable. Depuis des années, il ne s'était pas senti aussi heureux. Il voulait vivre et respirer ; il ne supportait plus les ascenseurs. Il considérait la part dangereuse de cette euphorie et se sentait terriblement ridicule dans son cliché d'homme marié. Il préférait marcher un peu avant de rentrer, comme si l'errance dans la nuit lui permettait de perdre le sourire béat qui barrait son visage. Dans les rues de Paris, il croisait du regard les passants. Il avait alors la folle impression que tous savaient ce qu'il venait de faire. Après l'amour, on est toujours un peu le centre du monde. Mais ce n'était pas une sensation si extravagante. Depuis quelques jours, il était réellement épié.

II

Il est préférable d'entrer chez une femme par le cheveu. La chevelure de Claire était d'une longueur indécise, ondulante ; on aurait dit qu'elle vivait d'une manière autonome. La couleur aussi paraissait changeante, évoquant les iris des nouveau-nés. Certaines croyances croates nous revenaient alors en mémoire ; ces croyances qui disent que les événements importants de la vie d'une femme s'annoncent par les cheveux.

Sa douceur s'était quelque peu fanée avec les années. Jean-Jacques lui reprochait souvent sa rigidité. Selon Claire, ce n'était qu'une question de maturité. Elle avait presque trente-cinq ans. Pourtant, il lui semblait que la vie était faite de cycles, qu'on redevient toujours ce qu'on a été. Il fallait juste attendre ; dans son futur, elle percevait rêveusement les éclats de sa folie adolescente. Certaines nuits, elle rêvait d'interminables voyages vers des pays dangereux. Elle se réveillait alors en sueur, en plein milieu d'un vol traversant une zone de turbulences, tout bougeait autour d'elle, les passagers criaient en contemplant la mort. Claire avait une peur effroyable de l'avion. On lui disait souvent que c'était drôle. Et Claire pensait qu'il n'y avait rien de drôle dans le fait de travailler à Roissy et d'avoir peur en avion. C'était juste une question de hasard.

La marque de cosmétiques qui l'employait avait ouvert une boutique à Roissy ; on lui avait demandé de la prendre en charge. À présent, elle prenait tous les jours le RER B en compagnie des touristes. On lui posait des questions, et elle savait toujours y répondre. Elle pouvait dire si Air Gabon ou Iberia se prenaient Terminal 1 ou Terminal 2. Parfois même, elle connaissait les horaires des vols. Elle pensait à Ouagadougou en traversant Saint-Denis. C'était une impression étrange d'aller travailler avec tous ces gens qui partaient en vacances. Le soir, elle ne les reverrait pas. Sa routine n'en était pas une. Le transport en commun, si propice à la solitude urbaine et aux têtes grises, était différent sur cette ligne.

Il y avait comme un dépaysement.

Et l'on pouvait facilement se sentir touriste dans ses habitudes.

L'aéroport de Roissy était un terrain unique. Une sorte de ville sans la moindre prise géographique, un pur *no man's land* permettant tous les fantasmes. Les hommes se croient autorisés à tout, dans les aéroports. À Paris, il était très rare qu'un homme cherche à la séduire. Depuis qu'elle travaillait à Roissy, il ne se passait pas une journée sans qu'elle ait des propositions explicites. Des commandants de bord, des hommes d'affaires sûrs d'eux, des étrangers excités, tous ces hommes cherchaient à coucher avec elle. Claire ne supportait pas ce qu'elle considérait comme des agressions vulgaires ; plus précisément, ce qu'elle ne supportait pas, c'était l'assurance virile de la plupart d'entre eux. En terre étrangère, ils libéraient leur vraie nature bestiale (aéro-porcs, pensait-elle). Ce contexte qu'elle jugeait pénible avait développé en elle une incroyable capacité à la froideur. Certaines employées qui enviaient sa beauté, assez peu extravagante pourtant, la considéraient comme une femme hautaine, volant dans les airs de la condescendance.

Il lui était arrivé d'imaginer ce qui se passerait si elle acceptait de se laisser séduire. Elle n'était pas insensible à tous ces hommes. Le lieu les écrasait dans la mesquinerie et le manque brutal d'originalité, mais certains étaient séduisants. Qu'aurait-elle perdu à se laisser emporter un instant, et s'oublier pour plus longtemps sûrement ? Elle ne faisait presque plus l'amour avec son mari, et quand elle le faisait, la chose était mécanique. Et c'était une entreprise peu performante, quasi délocalisée. Pourtant, elle ne se sentait pas dans la peau d'une femme qui trompe. Pour elle, l'amour était enrobé d'une histoire, et les courts-métrages ne l'intéressaient pas. Elle jugeait dégradantes ces histoires de chair ; ou plutôt, elle s'en sentait éloignée. Son plaisir à elle lui était toujours apparu comme une considération lente. En définitive, il lui était quasiment impossible de savoir ce qu'elle désirait réellement. Elle n'avait pas spécialement envie d'une aventure ; quant à retrouver la magie des débuts avec Jean-Jacques, cela lui paraissait improbable. Alors, que restait-il ? Une sorte d'ambiance appauvrie en oxygène. Sa vie sentimentale était un *no man's land*, sa vie sentimentale était un Roissy.

Quand elle était assaillie par le doute, Claire se réfugiait dans le souvenir de leur voyage à Genève, une semaine magique au tout début de leur histoire. Quelque temps auparavant, leur rencontre avait été marquée par un détail troublant. Ils lisaient tous les deux *Belle du Seigneur* d'Albert Cohen, et en étaient pratiquement à la même page. Ils avaient échangé leurs livres, et fini leur lecture sur le livre de l'autre. Ils s'étaient embrassés avant le suicide des amants. En pèlerinage à Genève, ils avaient découvert que le Ritz du roman n'existe pas. Lors de ce voyage, ils s'étaient surtout donné l'illusion d'être des héros romantiques et romanesques ; et, sur cette illusion, on peut fonder au minimum une famille.

Claire pensait que leur couple était devenu une horloge suisse. Le soir, Jean-Jacques rentrait précisément trois minutes avant vingt heures ; elle se demandait s'il faisait exprès d'être aussi pointilleux. Elle l'imaginait boire une bière dans le bistrot du coin les jours où il était en avance sur leur routine. Elle restait assise, dos à la porte. Elle pouvait prévoir son comportement, les mots qu'il dirait. Toujours, il lui souriait. Elle aurait voulu qu'il la touche, qu'il caresse ses cheveux, même fugitivement. Depuis peu, ces enchaînements manquaient de naturel. En repensant à une émission sur les agences d'alibis, vue quelques mois auparavant, certaines attitudes de Jean-Jacques s'éclaircissaient. Quand il commença à recevoir du courrier l'invitant à des inaugurations de banques, lui qui ne recevait auparavant que des prospectus, Claire trouva louche cette agitation postale. L'emploi du temps de son mari, pendant les hors-pistes temporels de la vie conjugale, était maintenant d'une précision extrême. À quoi pouvait servir ce type d'agence pour un homme comme lui ? Un homme peu mondain, rigide, et ne supportant pas l'imprévu.

Pour faire des économies, Jean-Jacques utilisait aussi la bonne vieille recette du collègue en panique. C'est dans les vieux pots qu'on fait les meilleurs alibis. Malheureusement, il manquait allégrement d'expérience en matière de sournoiserie, et se trahissait en pleine lumière. Par exemple, il ne retirait pas sa cravate les soirs où il devait ressortir. Il oubliait juste un léger détail : depuis six ans, c'était la première chose qu'il faisait chaque soir. Avant même la manifestation de l'alibi, Claire pouvait se douter de la possibilité que son mari dût ressortir. Deuxième élément troublant : alors qu'un soir elle était en cuisine quand le téléphone avait sonné, il avait prétexté ne pas pouvoir répondre. Plongé qu'il était dans la rédaction d'un dossier ultra-important en vue d'une réunion ultra-importante sur les dossiers ultra-importants, il avait dû suer en écoutant les sonneries. En portant le combiné à son oreille, Claire avait écouté sans broncher la partition du collègue ayant besoin d'aide au plus vite, sans quoi il risquerait de se suicider sous une pile de dossiers. Jean-Jacques s'était levé aussitôt, la mine exagérément désolée. Il ressemblait à ces soldats que le devoir appelle. Sur le perron, il avait embrassé dramatiquement sa femme sur le front, avant de rejoindre un autre front (il était sur tous les fronts, pourrait-on dire). Une fois seule, Claire n'avait pu se retenir de rire.

On préfère toujours les attitudes d'éléphant qui nous mettent la puce à l'oreille aux attitudes de puce qui nous mettent l'éléphant à l'oreille. Autrement dit, on pardonne davantage aux mauvais menteurs. À ceux qui préviennent malgré eux. Claire trouvait l'attitude de son mari presque attendrissante. La grossièreté de son organisation, l'énergie déployée pour être discret lui rappelaient les qualités d'attention et de gentillesse qu'elle avait toujours aimées chez lui. Surtout, face à la certitude d'être trompée, elle ne se sentait pas affectée. Une amie à qui elle s'était confiée fit un constat sans appel : son manque de jalousie prouvait son manque d'amour. Les constats de Sabine étaient toujours sans appel, et toujours faux. Car Claire se sentait encore attachée à Jean-Jacques, d'une manière différente, mais peu importait la manière finalement. Après huit ans, pouvait-elle vraiment lui en vouloir ? Elle-même avait déjà songé à le tromper. Sa gaucherie la rassurait sur un autre point important : c'était sûrement la première fois. Et elle n'avait pas tort. Par moments, elle était prise du désir de le prendre dans ses bras, de lui dire qu'elle l'aimait, de lui dire qu'elle savait tout, et que rien de tout ça n'était grave.

*
* *

La motivation de toutes nos avancées technologiques est l'adultère : on a créé Internet, on a créé le portable, on a créé les messages par téléphone uniquement pour que tous les couples puissent vivre avec facilité des vies parallèles. C'est bien fini le temps des poursuites pénales, la société s'organise gentiment pour la discrétion de notre jouissance (merci beaucoup). On grignote tellement le terrain de la fidélité que la question pour les couples n'est plus de savoir si l'autre vous trompe, mais de savoir avec qui l'autre vous trompe.

*
* *

Tous les matins, Claire passait devant l'agence Dubrove[1] qui se trouvait juste en bas de l'immeuble. Elle décida un jour d'y entrer. Tout paraissait suranné dans le hall, jusqu'au visage incroyablement *juillet 42* de la concierge qui écartait toujours le rideau de sa loge quand son oreille repérait des pas inconnus ou hésitants. Gênée par ce regard appuyé, Claire se précipita dans les escaliers. Après avoir patienté quelques minutes devant une secrétaire qui avait le visage d'une secrétaire, elle fut reçue par le patron. Sûrement l'avait-il fait attendre pour ne pas avoir l'air totalement désœuvré ; peut-être même avait-il fait les cent pas devant sa porte car il paraissait quelque peu en sueur. Il se positionna derrière elle pour regarder le mouvement de ses jambes (il n'était pas le genre d'homme à regarder tout de suite les fesses d'une femme). Puis il releva la tête.

« La fumée ne vous dérange pas, j'espère ? » demanda-t-il d'une voix qu'il travaillait pour la rendre rauque mais chaleureuse, impressionnante mais rassurante. Cherchant à coller à l'image de son emploi, Dominique Dubrove allumait un cigare dominicain à chaque client. Claire était donc face à un homme mal rasé, aux vêtements râpés, plongé dans un bureau qui agonisait dans une pénombre factice.

« Je vous sers un whisky ? »

Elle trouva l'endroit sinistre mais cela correspondait à l'idée qu'elle s'en faisait. Après un silence assez court, elle exposa rapidement la situation. Dubrove lui proposa des fiches avec les photos et les tarifs de ses enquêteurs. Le simple fait de faire suivre quelqu'un (en d'autres termes, de marcher dans la rue) coûtait cinq à dix fois plus cher que de suivre un cours de

1. Une entreprise familiale, *de père en fils depuis 1997.*

physique quantique. Il y avait là une logique qui la dépassait. Comme elle hésitait, Dubrove enchaîna en mettant en avant la part de risque de son métier. Il aurait adoré verser une larme en évoquant le corps démembré d'un de ses neveux retrouvé au fond de la Seine ; malheureusement, la seule casse avait été le poignet foulé de son gendre qui suivait un homme accro aux sex-shops de Pigalle. Finalement, il théorisa sur la valeur inestimable du secret. En feuilletant les fiches, Claire s'arrêta, stupéfaite, sur celle d'Igor. Elle coupa les élans mercantiles de Dubrove :

« Pourquoi cet enquêteur est-il si peu cher ? »

Effectivement, le tarif horaire d'Igor était cinq à sept fois moins élevé que celui des autres. Claire demanda si c'était un débutant, un stagiaire, ou alors un enquêteur qui ne résolvait aucune énigme et dont la cote, tout comme une entreprise s'effondre en Bourse, avait lamentablement chuté. Par ailleurs, elle était intriguée par son visage, sans savoir pourquoi. Dubrove paraissait bien gêné, mais c'était ainsi : Igor, son neveu, faisait partie de l'entreprise pour la simple raison qu'il faisait partie de la famille. C'était un garçon charmant, bourré de qualités comme on dit, mais...

« Vous ne voulez pas me dire ? » reprit Claire.

Dubrove écrasa son cigare. Il s'avança vers l'oreille de sa nouvelle cliente. Elle comprit qu'il voulût chuchoter. Il y avait là un secret qui valait sûrement plus cher qu'Igor, un secret qu'il ne fallait pas répéter pour ne pas nuire à l'image de l'agence. Claire écouta, leva les sourcils, puis esquissa un sourire.

« C'est ce détective que je veux », énonça-t-elle d'une voix assurée.

III

Sonia, dès la première heure de son arrivée dans l'entreprise, avait été l'objet de tous les regards. Après des années d'études de gestion où les échantillons féminins suffoquaient de rareté dans les amphithéâtres universitaires, les spécialistes de la finance avaient tendance à se montrer quelque peu grossiers dans leurs désirs. Ce n'était pas forcément désagréable mais, assez vite, Sonia se lassa de ces manifestations excessives. Elle s'inventa un fiancé, et ce ne fut pas suffisant ; l'homme n'est toujours qu'une ligne Maginot pour un autre homme. Alors, elle imagina des fiançailles pour l'été prochain. L'ambiance officielle du mot « fiançailles » fut décisive, si bien qu'elle fut dès lors placée dans la déprimante catégorie des femmes déjà prises. Les assauts de séduction se fracassèrent tout comme des vagues sur un rocher marié. La plupart des hommes continuèrent de se montrer aussi sympathiques à son égard (elle avait redouté le contraire), et certains même davantage encore. Sonia comprit une chose : en apprenant qu'elle était déjà fiancée, ils voyaient légitimée leur incompétence à la séduire. Aucun ne se sentait humilié de ne pas être choisi. Ainsi, tous étaient soulagés.

Tous, sauf un.

Dans les premiers jours, Jean-Jacques n'avait pas paru intéressé par l'arrivée de la jeune et jolie stagiaire. Sans le vouloir, il s'était démarqué d'une manière brillante. Sonia avait été surprise, non pas qu'il ne s'intéressât pas à elle, car ce n'était pas tout à fait le cas, mais qu'il parût mal à l'aise. En le croisant, elle sentait en lui une gêne excitée : c'était exactement comme si on l'avait emmené de force voir son film préféré au cinéma. Quand Jean-Jacques croisait Sonia, il n'était pas rare qu'il louche. Ce que d'autres hommes vivent comme un tiraillement de conscience, lui, il le vivait physiquement ; son œil gauche voulait voir Sonia, et son œil droit ne voulait pas voir Sonia. Mais comme son visage était un peu un *10 mai 1981*, c'était toujours son œil gauche qui gagnait. Quand il apprit qu'elle avait un fiancé, il s'autorisa un rire nerveux. Il lui avait semblé qu'elle l'aimait bien. C'était aussi vague que peut être vague une attirance étrange. Mais non, il n'avait pas rêvé cette attirance. Toutes les fois où Édouard avait organisé des apéritifs sans intérêt, toutes ces fois où Jean-Jacques rentrait chez lui à l'heure prévue, il lui avait semblé qu'elle l'avait retenu du regard. Un mouvement de tête en sa direction, rapide, presque absurde dans son efficacité féminine. Elle n'était pas insensible. Les femmes ne tournent jamais la tête sans une idée derrière.

*
* *

La mollesse avait donc un charme. Cette sorte de vie paisible, il ne fallait pas chercher à la rendre excitante pour séduire une femme. Dans le déploiement de sa faiblesse tranquille, Jean-Jacques était devenu séduisant. Peut-être que l'on devient séduisant au moment précis où l'idée même de séduire paraît aussi improbable que celle d'aller vivre à Toulon.

*
* *

Sans le recours d'un conseiller grassement payé à ne rien faire, Jean-Jacques n'aurait pas eu la possibilité d'accéder un jour à la beauté de Sonia. Personne n'est donc vraiment inutile sur cette Terre, et même les plus inutiles d'entre nous peuvent penser que, quelque part, des amants s'embrassent grâce à leur incompétence. Ce conseiller, donc, ne sachant plus que conseiller au patron, lui proposa de décréter que le vendredi, dorénavant, il faudrait venir habillé d'une manière décontractée. Beaucoup d'entreprises pratiquaient déjà cette arnaque conviviale. De son bureau du rez-de-chaussée, le patron parut ravi d'une telle idée, et annonça la chose comme il aurait annoncé une augmentation générale. Ce rituel absurde avait aussitôt énervé Jean-Jacques. Il avait bataillé dur pour obtenir ce poste à responsabilités. Il ne voyait pas pourquoi lui qui gagnait bien sa vie devait, sous prétexte de décontraction, s'habiller comme un adolescent. Ce sabbat de l'apparence le renvoyait à l'époque instable où il n'avait pas encore sa place dans la société. C'était comme si le vendredi, il se retrouvait en contrat à durée déterminée. Ce jour de la semaine, juste parce qu'il ne portait pas de cravate, Jean-Jacques ne sortait pas de son bureau. Les rares fois où il avait quelque chose à demander à Sonia, il se levait pour aller la voir. Il n'avait jamais eu le sens de la hiérarchie. D'ordinaire, il préparait lui-même ses cafés, et se déplaçait toujours pour parler à quelqu'un, même aux sous-fifres qui grattaient le ciel. Le vendredi, les choses étaient différentes : il osait appeler Sonia. Et c'est cet enchaînement, de la sécheresse d'un conseiller à l'angoisse d'un employé sans cravate, qui permit la révélation d'un ravage sensuel.

Précisons.

« Vous avez besoin de moi ? » avait demandé Sonia, sans entrer dans le bureau. Et c'était exactement ce positionnement féminin entre l'intérieur et l'extérieur qui avait provoqué la naissance du trouble. Elle n'était pas entrée dans son bureau, mais on ne pouvait pas considérer, non plus, qu'elle était restée au-dehors. C'était un entre-deux, et les femmes qui restent suspendues dans cet entre-deux accentuent leur sensualité. Géographiquement instables, elles proposent malgré elles des rêves d'aventures. Voilà pourquoi Jean-Jacques avait basculé. Partant d'une simple attirance, il avait laissé grandir en lui un désir irrépressible. Plusieurs fois, il s'était permis de l'appeler ; comme ça, juste pour tester sa capacité nomade. Sa façon de ne pas entrer dans le bureau créait presque une ambiance d'adultère. Elle possédait un rapport aux portes des plus érotiques.

Jean-Jacques déjeuna en tête à tête avec Édouard. Ce dernier commanda du champagne pour fêter la nouvelle. Enfin, ils allaient parler de femmes, le sujet qui cimente les amitiés masculines. Étant l'éléphant des affaires féminines, Édouard voulut lui arranger le coup. Jean-Jacques le persuada du contraire. Il avait juste besoin de conseils ; lui qui passait son temps à séduire toutes sortes de filles, il devait bien connaître des trucs pour accéder à la mécanique des femmes. Édouard se sentit flatté. Il confirma tout d'abord qu'il avait perçu chez Sonia un trouble. Si l'attirance était réciproque, on gagnait une grande partie de la bataille. Son vocabulaire serait guerrier ou ne serait pas. Très vite, on s'attela au hic, car il y avait un hic : Sonia était fiancée. Mais Édouard théorisa :

« Oui, mais toi, tu es marié !

— Et alors ?

— Deux personnes en couple s'annulent, c'est comme les moins. C'est exactement comme si vous étiez tous les deux célibataires.

— Ah bon ?

— Oui, les chiffres l'attestent. La plupart des infidélités se passent entre gens mariés.

— ... »

Des gens théorisent sur notre incapacité à la fidélité, pensa Jean-Jacques. Cette discussion ne l'excitait vraiment pas. Contrairement à son ami, il n'éprouvait aucune nécessité à parler de ses désirs. Parler d'une femme lui semblait revenir à dégrader sa beauté. Il voulait conserver en lui tout Sonia, devenir radin de son évocation, la faire dormir dans la banque suisse de son sentiment.

Aucun des deux n'envisageait de faire le premier pas. Durant toutes ses années de jeunesse, Jean-Jacques n'avait jamais ressenti la moindre gêne pour parler aux femmes. La gaucherie était venue avec le mariage. Avec ces années où l'on s'écarte du manège sensuel. Séduire s'oublie si vite. Le mariage, au-delà du manque d'épanouissement, l'avait asséché verbalement. Jusqu'au jour où subitement, pris d'une pulsion étrange et russe, il se dirigea d'un pas vif vers Sonia. Il la questionna brutalement :

« Ainsi, vous êtes fiancée ?

— Non, j'ai menti », répondit-elle aussitôt.

Le soir même, ils marchaient côte à côte dans une rue sans importance.

Sonia pensait avec simplicité : « C'est un homme qui me plaît. » Il ne fallait pas chercher à en savoir davantage. Nos attirances sont des idioties. Jean-Jacques avait incroyablement une tête d'homme marié ; on eût même dit qu'il était né marié. Ce n'était pas qu'il parlait de sa femme ou de sa fille comme ces hommes ridicules persuadés que l'apanage de leur épanouissement familial excite les filles dépressives. Ce qu'elle aimait, c'était peut-être cette façon qu'il avait de la regarder. Avec un respect fasciné. Il se satisfaisait de leurs promenades fugitives. C'était une période de latence, et cette période aurait pu durer longtemps. Le désir entre deux personnes, quand il est aussi intense, peut conduire à un étrange affaiblissement de l'excitation ; écrasés par l'envie, les amants potentiels deviennent alors facilement des ombres de l'amour. Finalement, Sonia proposa :

« Le mieux est que nous couchions ensemble assez rapidement. Une fois la chose faite, on sera plus détendus.

— ... »

Il accepta cette proposition. Elle lui dit qu'elle habitait un boulevard portant le nom d'un grand résistant vénézuélien. Mais Jean-Jacques, totalement fébrile, si peu résistant, proposa de se retrouver à l'hôtel le lendemain soir.

À partir du moment où il s'était senti désiré dans le regard d'une femme, il avait cherché à apparaître sous son meilleur jour. Il se mit à prendre les escaliers, et à faire six séries de vingt pompes par jour dans son bureau. Des frissons de son adolescence le parcou-

raient. Face au corps nu de Sonia (elle s'était désha-
billée très vite), il fut pris d'un bonheur aussi naïf que
pendant ses premiers émois. Dans son cerveau, ce fut
un ramassis syntaxique. Sujet, verbe et complément.
Sonia était blonde. Sonia était belle. Sonia avait des
oreilles. Tout paraissait simple. Cela faisait huit ans
qu'il ne s'était pas retrouvé face au corps nu d'une nouvelle femme, huit ans qu'il n'avait pas découvert les
épaules et le ventre d'une femme, les genoux et les
hanches d'une femme. Il était Christophe Colomb. Le
corps de Sonia, après des années de monogamie et
d'appauvrissement sensuel, son Amérique.

Et face à l'Amérique, on se sent toujours un peu
petit.

*
* *

Après l'amour, ils fumaient une cigarette.

Et après avoir fumé une cigarette, ils faisaient
l'amour.

*
* *

Les jours passèrent, avec de la sueur. Il fallait organiser cet amour. L'adultère ne peut jamais être roman-
tique. Non loin du bureau, il y avait un hôtel pas très
propre mais plutôt discret (les couples légitimes, avec
le temps, recherchent exactement le contraire). Le
veilleur semblait sérieux, et, pour bien les mettre à
l'aise, avait fait plusieurs fois semblant de ne pas les
reconnaître. On se sent toujours mieux, dans ces
conditions, avec un veilleur amnésique. Finalement,
Jean-Jacques décida de louer la chambre au mois, ce

qui conférait à cette situation une sorte de stabilité. Sonia y restait parfois seule, le soir ; « pour dormir avec ton odeur », disait-elle. C'était un concept que Jean-Jacques se refusait à comprendre. Mais, enivré de ce bonheur soudain, il avait retrouvé certaines de ses capacités à l'humour, et avait ainsi répondu :

« J'espère juste que mon odeur ne ronfle pas… »

Depuis le 12 novembre 1998, il n'avait pas atteint ce degré de poésie avec sa femme.

Si les débuts d'un adultère galvanisent, ils créent néanmoins une tension terrible. Un homme qui trompe sa femme (un homme comme Jean-Jacques, il va de soi), c'est exactement comme un homme qui sort continuellement d'un sex-shop. Mal à l'aise, il est persuadé que tout le monde le regarde dans la rue. Au-delà du bonheur, les premiers jours avec Sonia furent donc des jours à forte potentialité d'ulcère. Il fallait alors prendre de nombreuses précautions. Jean-Jacques faisait des détours, proposait à Sonia la visite de ruelles juste pour pouvoir lui caresser les cheveux un instant. Quand ils se frôlaient devant des témoins, il suait à grosses gouttes. Sonia le trouvait paranoïaque. Bien sûr, elle ne pouvait imaginer que la paranoïa de son amant était fondée puisqu'il était épié par Igor. Depuis plusieurs jours déjà, l'enquêteur avait entamé sa mission. Malheureusement pour lui, le jeune Igor était tombé sur un homme ultra-inquiet, ne cessant de se retourner, et de pivoter excessivement du cou, dès qu'il était en compagnie de sa maîtresse. Ainsi, sa mission était quelque peu complexe. Son plan B consistait à le filer de plus loin. On pouvait perdre le client plus vite, mais c'était moins risqué. Jean-Jacques ne repéra pas le détective chargé de le surveiller, et, au bout d'un moment, relâcha sa vigilance. Lassé des détours incessants, il caressait maintenant les cheveux de Sonia en public.

Jean-Jacques s'interrogeait : comment avait-il fait pour se passer aussi longtemps du plaisir sensuel ? L'idée de faire l'amour à Sonia était devenue sa raison de vivre. Tout le reste était une attente entre deux plaisirs. Il aimait quand elle gardait sa culotte pendant l'amour. De ses seins, pour l'instant, il n'embrassait que le gauche ; depuis des semaines, le sein droit se sentait oublié, sans savoir qu'il était question d'une stratégie d'humiliation de la routine. Jean-Jacques voulait préserver des parcelles de Sonia, pour plus tard, pour que la découverte, synonyme du plus grand plaisir, dure encore et encore, comme s'il fallait ruser face à la stupidité de la vie amoureuse, la lassitude.

Il aimait ce jour où elle avait sorti de sa trousse de toilette un petit miroir pour se recoiffer : pour revenir en arrière dans sa vie capillaire. Prise d'un frisson, elle lâcha le miroir qui se brisa aussitôt. Elle se retourna et sourit :

« Oh ! Sept ans de bonheur ! »

La façon qu'elle avait eue d'être si légère, si heureuse, si douce, si amicale, si tendre, si positive, si émouvante, si intellectuelle, si rebelle, si majeure, rendit fou Jean-Jacques. Ce moment qu'il venait de vivre, il était capable de le saisir dans toute la lourdeur du temps. Il voulait le revivre encore et encore, et plusieurs fois encore. Il n'eut pas la force de venir l'embrasser, de venir l'aimer. Heureux comme jamais il n'avait été heureux depuis Genève ; c'était ici un nouveau Genève. Et rien ne pouvait l'effrayer davantage. Son futur terrible se projetait en lui, dans des ombres imprécises. Personne ne savait que faire en cas de bonheur. On avait des assurances pour la mort, pour la voiture, et pour la mort en voiture. Mais qui nous protégera du bonheur ? Il venait de comprendre que ce bonheur, en devenant si fort, était la pire chose qui pût lui arriver.

IV

Les parents de Jean-Jacques étaient morts dans un accident de voiture. La brutalité de la situation l'avait figé dans une posture de déraciné. En toute logique, il avait espéré retrouver une famille avec celle de Claire ; plus encore, René et Renée allaient peut-être lui permettre d'être à nouveau un fils. On pouvait donc comprendre son envie initiale de les aimer. Mais, comme souvent, il nous suffit d'espérer un tant soit peu quelque chose pour que la chose se révèle décevante. Trois minutes après les avoir rencontrés, Jean-Jacques comprit que ses futurs beaux-parents ne seraient qu'une source de soucis ridicules. Soucis qu'il faudrait supporter tous les dimanches midi, dans un rituel aussi immuable que la beauté surgissante des femmes aux premiers jours du soleil. Ces déjeuners dans la maison de Marnes-la-Coquette[1], très rapidement, Jean-Jacques voulut les éviter, mais Claire l'implora de venir ce dimanche, puis le suivant, puis tous les dimanches. Il n'eut d'autre choix que de céder au chantage de sa femme qui, elle-même, cédait au chantage de ses parents. En huit ans, les trois fois où ils n'avaient pas pu venir, il avait fallu produire des

---

1. C'était une grande maison avec un grand jardin, au fond duquel on trouvait deux arbres reliés par un hamac.

justifications écrites. Maintenant que Jean-Jacques utilisait les services d'une agence d'alibis, il avait pensé en parler à Claire, avant de se rétracter aussitôt. La chose pouvait être bien trop dangereuse ; un homme ne pouvait avoir trop d'alibis la même semaine, au risque de disparaître totalement dans le mensonge de son emploi du temps.

Pendant ces dimanches, on assistait aux monologues répétitifs de la vieillesse. Les minutes agonisaient avec la lenteur des processions sous le soleil. Claire, toujours souriante, donnait l'illusion de l'épanouissement. Sa mère cherchait en permanence à la rabaisser :
« Ah, tu as une nouvelle robe, je vois.
— Oui, je viens de l'acheter. »
Et voilà, Renée ne commentait jamais rien ; laissant dans le silence un jugement forcément négatif. Claire ne pouvait en tout cas le considérer autrement. Ses rapports avec sa mère avaient toujours été mauvais, mais sans jamais éclater dans une dispute. Il y avait de la décence bourgeoise dans ce conflit latent. Renée était la reine des insinuations, et jamais ne se réjouissait du bonheur de sa fille. Une fois seulement, elle lui avait fait des compliments sur son physique et sa mine resplendissante : elle était alors enceinte.

Mais, dans la hiérarchie des aigreurs, Renée plaçait plus haut que tout ce qu'elle pouvait considérer comme un véritable hobby : la critique de son mari. C'était un des axes de sa vie ratée, le refrain d'une chanson à chanter sous la pluie. Claire écoutait ce râle régulier, sans plus y prêter attention. Renée ne supportait pas la rigidité à toute épreuve de René. Chirurgien à la retraite, obsédé par la précision des choses, il passait son temps à juger le pliage des serviettes, et le degré de salaison des plats. En d'autres termes, il était une sorte d'officier domestique. Pendant ses années de gloire professionnelle, tellement respecté pour son talent, il avait été un des tout premiers chirurgiens à faire assurer ses mains. Dans les années 1970, on avait même parlé dans la presse de cette affaire. Elles valaient plusieurs milliers de francs par jour. Par conséquent, il fallait à tout prix les ménager. Renée avait trouvé que la valeur des mains de son mari avait bon dos quand il s'agissait de faire quoi que ce soit dans la maison. Surtout, maintenant qu'il n'opérait plus, il continuait à les protéger inutilement. Il disait qu'en cas de guerre, on pourrait avoir besoin de lui sur le front. Et c'était à cause de cette possibilité de guerre qu'il ne faisait jamais la vaisselle. L'ex-chirurgien parlait en flux continu de ses opérations mythiques, et il y avait là quelque chose de pathétique. En plein repas, il n'était pas rare d'apprendre que M. Dubois ou Mme Dufossé avaient eu les artères bouchées par un caillot de sang, ou une plèvre infectée d'un liquide jaune. Jean-Jacques, pour ne pas vomir, pensait à autre chose ; et c'était une manipulation mentale qu'il pouvait tout à fait accomplir avec le sourire fourbe de ceux qui font semblant d'écouter.

René était le genre d'homme qu'on n'ose pas contredire. Systématiquement, il servait une prune au dessert, une prune si terrible qu'elle eût pu réchauffer la Sibérie au cœur de l'hiver. Jean-Jacques n'ayant jamais osé avouer qu'il ne supportait pas la prune, laissait son estomac brûler, et savourait par politesse l'assassinat de ses propres boyaux. Comment peut-on refuser quoi que ce soit à un homme qui énonce bruyamment :

« Une petite prune, Jean-Jacques ? Je sais que vous aimez ça ! »

Depuis huit ans, il acceptait. Bien sûr, il avait mis au point des méthodes de crachat en toute discrétion. La meilleure étant le retourné très intelligent qu'il faut pratiquer pour évacuer une soi-disant toux d'allergie au pollen. Et en revenant vers la table, il faut déclarer le plus vite possible une phrase suffisamment inappropriée pour faire diversion. Jean-Jacques avait testé :

« Je crois que ça ne sert à rien de voter pour les Verts ! »

Cette phrase était d'une telle efficacité qu'il n'était pas rare de l'entendre la réutiliser.

Mais ce dimanche, Jean-Jacques était d'une humeur tellement exceptionnelle qu'il tenterait même de siroter sa prune. Tout lui paraissait enivrant. Après avoir ressenti les premières secousses du bonheur, il était retourné gaiement à l'hystérie des amours naissantes. À cette hystérie qui brise toute capacité à la décence. Survolté, il ne cessait de parler, donnait son avis sur tout et surtout sur rien, avec un manque effroyable de discernement. Son bonheur ne pouvait avoir sa source autour de cette table : il détestait les dimanches chez ses beaux-parents. Son pitoyable enthousiasme choquait sa femme ; il était passé des lourdes tentatives de discrétion à une inconsciente extravagance de son indiscrétion.

Le gigot en serait la preuve.

Car, dans les habitudes de tous ces dimanches, il était question de gigot. Plus on avance en âge, plus on vit sur des repères ; il était totalement impossible de changer de menu. On pouvait éventuellement alterner flageolets blancs et flageolets verts pour l'accompagnement. Tout étant relatif, il y avait là une impression de changer de vie. Renée découpait habituellement le gigot. Mais, tout embaumé de bonheur sensuel, Jean-Jacques se précipita sur les couteaux pour annoncer qu'aujourd'hui, c'était lui qui officierait. Sa bonne humeur n'allait pas tarder à atteindre ce stade où elle pourrait devenir déprimante pour les autres. Louise regardait son père d'un œil amusé. Les parents de Claire aussi le regardaient, ce gendre qui jouait un peu au fou et qui, finalement, pimentait le découpage du gigot. René n'osa pas critiquer, surtout que son gendre, connaissant tout du moindre de ses goûts, se permit de le rassurer avec aisance :

« Je sais que vous aimez ce morceau semi-saignant... »

Et voilà le René avec son assiette parfaite, osant à peine servir le vin rouge, son domaine réservé. Finalement, la seule qui ne pouvait sourire, c'était Claire. Comme si la mascarade ajoutée à la mascarade de sa relation avec ses parents était une mascarade de trop. La maîtresse de son mari, elle pouvait sûrement l'accepter ; mais l'expression d'une extase était nettement moins supportable. Plus elle observait le sourire béat de son mari coupant le gigot, plus il lui était facile d'imaginer le bon temps qu'il prenait à gigoter dans le sexe d'une autre femme.

V

Le samedi suivant, Claire se sentait un peu lasse. Elle avait envie d'être seule. Jean-Jacques, sentant le malaise, tenta :

« On pourrait aller au restaurant ce soir, non ? Ça serait sympa. »

Elle le regarda, consternée. Elle préféra oublier l'utilisation du mot « sympa » qui devait sûrement provenir du vocabulaire de sa maîtresse tout juste pubère. Jean-Jacques était l'homme le moins spontané au monde ; il ne supportait pas l'idée de faire quoi que ce soit qui n'eût été prévu depuis au moins six mois. Il aurait pu se mettre un Post-it sur la tête avec dessus : « Je te trompe » que cela n'eût fait aucune différence.

« Non, je suis fatiguée. On ira une autre fois.

— Très bien, mon amour. »

Elle tourna la tête au moment où il tenta de l'embrasser. Pour la première fois, elle le méprisa. Dans la plus grande tradition de l'homme sans envergure, la culpabilité le rendait plus aimant. Elle avait trouvé presque mignonne l'agence d'alibis, mais cet étalage d'extase (six jours auparavant, il avait quasiment gloussé en coupant le gigot) la gênait terriblement. Elle alla s'allonger sur le lit. D'une manière absurde, elle pensa : « Il se sent tellement gêné qu'il est capable de me proposer un Scrabble. » À ce moment précis, Jean-Jacques entrouvrit la porte :

« On pourrait peut-être se faire un petit Scrabble ?

— ...

— Je dis ça... parce que, avant, t'aimais bien... comme ça... le samedi soir, quand on ne sortait pas...

— ...

— Bon, je te laisse te reposer. »

Elle n'en revenait pas.

Dans l'obscurité, Claire pensa à Igor. C'était une rencontre qui lui avait fait une forte impression. Il n'était pas du tout le genre d'homme dont elle aurait imaginé qu'il puisse la troubler, et pourtant, instinctivement, elle avait été touchée par lui. À vrai dire, ce n'était sûrement pas tout à fait comme ça que les choses s'étaient produites. Malgré toutes ses qualités, Igor possédait une qualité supérieure à toutes ses qualités, une qualité à laquelle il ne pouvait rien : *la qualité du bon moment*.

Il y a des gens formidables qu'on rencontre au mauvais moment de notre vie.

Et il y a des gens qui sont formidables parce qu'on les rencontre au bon moment de notre vie.

Les tarifs d'Igor étaient donc moins élevés que ceux de tous les autres détectives. Sa particularité, considérée comme une tare commerciale, était la timidité. Igor était maladivement timide. Il lui arrivait fréquemment de devoir lâcher une filature quand il fallait entrer dans un lieu public. Il lui arrivait surtout d'être incapable d'interroger un témoin, d'hésiter, de bafouiller, de rougir au moment de recueillir une information. Claire avait souri des premiers rapports qu'Igor lui avait rendus. Elle cachait sa frustration devant les résumés inachevés de l'emploi du temps de son mari. C'était elle, après tout, qui avait choisi un détective timide ; sûrement parce qu'elle avait trouvé l'idée poétique. Igor voulait abréger l'attente de Claire, tout en étant plongé dans l'envie non professionnelle de voir la situation se prolonger. Il aimait de plus en plus ces moments où il lui racontait sa journée ; parfois, ils parlaient de tout autre chose. Mais Claire revenait vers son mari, et son emploi du temps. Que faisait-il, le midi ? Et ces soirs où il avait des réunions importantes ? Igor lui avait décrit une jeune femme, et lui avait demandé si elle voulait une photo. Il avait senti une telle tristesse en elle. Un instant, il avait voulu lui mentir, la bercer dans une étrange illusion. C'était le côté démiurge de son métier : la possibilité de créer de faux rapports, d'inventer des vies. Igor pensait que ce serait un formidable sujet de film, l'histoire d'un détective mythomane. Mais dont la mythomanie serait fondée sur sa sensiblerie. Face au regard mouillé d'une femme, il évoquerait l'emploi du temps impeccable du mari. Mais Igor ne pouvait pas faire ça. Il respectait plus que tout deux choses dans la vie : la vérité et les femmes. Peut-être n'était-ce qu'une seule et même chose, en définitive... Au risque de la perdre, au risque de mettre fin à une situation uniquement professionnelle, Igor lui livra le fruit de son travail. Claire découvrit alors le visage de Sonia. En une seconde, elle sut que tout serait plus difficile. On pouvait se laisser tromper par quelque chose de vague et d'inconnu, mais pas par un visage.

Igor était gêné par le malaise de Claire. Heureusement, elle parla la première :

« Je vais vous dire deux choses : la première, c'est que je suis plus triste que je ne le pensais.

— Oui... je le vois...

— La seconde, c'est que j'aimerais que vous me parliez de vous. J'aimerais partir maintenant dans une autre vie que la mienne. J'ai besoin d'oublier notre affaire. Dites-moi comment vous êtes devenu détective ? »

Ils commandèrent une bouteille de vin rouge, et Igor se mit à parler doucement. Tout avait commencé par une lubie de Dominique Dubrove. Ce dernier était persuadé qu'une entreprise bénéficiaire était une entreprise forcément familiale. Pour lui, bénéfice s'écrivait *bénéfils* Ainsi, dès la création de l'agence Dubrove, il avait embauché et formé ses fils, ses cousins, ses neveux, et tous les autres débrouillards par alliance. Il avait écarté son neveu timoré, ce qui ne fut pas du goût de sa sœur. La mère d'Igor pensait surtout que ce serait une merveilleuse thérapie, ce métier où il fallait aller de l'avant, et prendre des risques :

« On soigne le mal par le mal », disait-elle tout le temps.

Voyant leur fils frappé de timidité depuis sa plus tendre enfance, les parents d'Igor avaient tout tenté pour le rendre moins fébrile socialement. Ainsi, à l'âge de l'adolescence, à l'âge des boutons qui n'arrangent en rien la situation, ils décidèrent qu'Igor ferait du théâtre. On dit bien que la plupart des acteurs sont de grands timides. Igor refusa dans un premier temps, avant de se soumettre à la volonté de ses parents. En son for intérieur, il savait qu'il était né comme ça, que toute situation sociale un peu délicate l'angoissait, et que, toujours, il ne serait que le diplomate de son propre pays.

42

Son professeur de théâtre lui vit quelques dispositions, et les compliments le mirent en confiance. Ses
parents crièrent victoire. Mais leur enthousiasme était
prématuré. On ne savait pas encore comment il se
comporterait face au public. On fit une petite représentation devant une dizaine de personnes et, luttant
de toutes ses forces, Igor parvint à faire abstraction
du regard des autres. Il prit goût au théâtre, et rêva
même d'une vie où il changerait de rôle tout le temps,
à l'infini, une sorte de chute abyssale où il pourrait
s'oublier, lui et sa gêne d'être lui. Mais rien ne se passa
comme prévu. Le soir de la première, Igor rassemblait
ses forces dans les coulisses. Plus rien ne devait alors
exister que sa concentration. Il y avait du chahut dans
la salle, c'était une pièce de boulevard, le genre
d'action très grossière avec des portes qui claquent et
des amants dans le placard. Et c'est là que fut com-
mise l'erreur fatale.

Igor jouait le rôle d'un cocu.

En plein cœur de la pièce, alors que son personnage,
engoncé dans le ridicule, faisait rire tout le monde, il
fut victime d'une confusion. Au moment précis où les
rires fusaient, ces rires qui étaient censés le rassurer
dans son talent, il ne parvint pas à faire mentalement
la distinction entre son personnage et lui. Sans le
moindre doute, le public hilare se moquait de lui. Peu
avant le troisième acte, dans cette scène où le cocu se
découvrait cocu, Igor se précipita en coulisses, pour
trouver refuge dans l'ombre. Sa timidité l'attendait
bien sagement dans sa loge, assise sur une chaise.

Il n'est pas étonnant qu'il soit devenu, par la suite,
un grand cinéphile. Son errance dans les salles de

cinéma était motivée par une perpétuelle recherche de l'obscurité. Il pouvait à présent parler cinéma pendant des heures, et pendant ces discussions, sa timidité s'envolait. Il était armé d'une connaissance presque sans failles, d'un sujet connu donc protecteur. Ce soir-là, il avait enchaîné l'évocation de scènes et d'anecdotes. Avant de s'interrompre brutalement :

« Je n'ai jamais parlé de moi comme ça. J'espère que je ne vous ennuie pas ?

— Non, pas du tout », le rassura Claire, avant de partir dans un fou rire qu'elle justifia aussitôt :

« C'est le vin ! Je crois que j'ai trop bu. »

Après un temps, elle lui demanda :

« Et *Les Ailes du désir* ? Vous avez vu ce film ? »

Ce long-métrage de Wim Wenders lui rappelait aussi Jean-Jacques, mais elle s'en détachait maintenant. Igor paniqua, on aurait dit que le ciel était tombé sur sa tête de cinéphile. Les failles de sa culture cinématographique favorisaient les rechutes de timidité.

« Heu... non... non... je ne l'ai pas vu... », bégaya-t-il.

Claire évoqua le film et parla de Berlin.

« Berlin... », répéta Igor, comme hypnotisé.

Il faut toujours une ville pour commencer une histoire, pensa-t-il.

On approchait de minuit ; ils avaient presque fini leur deuxième bouteille de vin. Claire se sentait étrangement bien ; elle avait réussi à noyer le visage de Sonia dans l'alcool. Elle voulut commander une troisième bouteille, mais le patron annonça la fermeture. Une fois sortie, elle marchait d'une manière anarchique, ce qui ne l'empêchait pas d'être traversée par de sobres éclairs de lucidité :

« Je me sens bien, cela fait si longtemps que je ne me suis pas sentie aussi bien... Et c'est grâce à vous, Igor ! Allons fêter ça.

— Heu... je crois que le mieux serait que je vous raccompagne. »

Ils montèrent dans un taxi. Igor était excité comme jamais ; en fermant les yeux, il pourrait être John Cassavetes ramenant Gena Rowland. Une fois arrivée, Claire le remercia pour la soirée, en lui caressant la joue. Mais elle aurait peut-être dû éviter cette dernière phrase qu'il fallait mettre sur le compte de l'ivresse, et qui serait vite oubliée :

« Tu es mon petit cocu... », lui avait-elle dit avant de s'engouffrer sous le porche.

Sans la main de Claire sur sa joue, il aurait été dévasté par cette phrase. Les mots ne comptaient plus, maintenant.

Claire eut du mal à trouver le trou de la serrure. Jean-Jacques, qui guettait son retour, se précipita pour ouvrir :

« C'est à cette heure-ci que tu rentres ! »

Elle balbutia, sans faire aucun effort dans le mensonge, qu'elle avait passé la soirée à réconforter Sabine. Il était facile pour Jean-Jacques d'imaginer qu'un homme pouvait se cacher sous ce prétexte. Au fond de lui, il se réjouissait de cette possibilité. Son visage faussement crispé trahissait de petits spasmes d'une jouissance mal contrôlée. Si Claire avait un amant, il pourrait vivre son adultère dans le plus légitime des équilibres, il pourrait se soulager du poids de la culpabilité. Sans la moindre finesse, il se recoucha un peu trop rapidement, heureux comme un dieu dans son pyjama. Claire trouva cette scène d'une tristesse anonyme. Le lendemain, elle se réveilla pourtant d'excellente humeur. Elle se souvenait par bribes de la soirée ; oubliant son état, elle se focalisait sur les moments où elle avait écouté Igor. Elle se souvenait parfaitement de son émotion. Elle ne put s'empêcher de trouver risible la situation : être émue par le détective de son mari.

Mais elle n'avait encore rien vu de la situation.

Elle n'était qu'au vestiaire du risible.

VI

Un autre soir, Claire accepta d'aller au restaurant.
Une fois assis, Jean-Jacques fut torturé par une
angoisse existentielle majeure :

« J'hésite entre une pizza ou des pâtes. C'est tout le
problème des restaurants italiens.

— C'est tout le problème de la vie », ironisa Claire.

Jean-Jacques sourit, avant de replonger dans sa
pathétique confusion. Pathétique auquel il fallait ajouter un autre pathétique : le lieu. Existe-t-il pire endroit
qu'un restaurant italien ? On subit une musique napo-
litaine (qui est à la musique ce que le minestrone est
à la soupe) et un serveur qui tente de se faire passer
pour un Italien, alors que son vocabulaire se réduit à
peperoni et *bonjourno*. Jean-Jacques en compagnie de
Sonia, ou Claire en compagnie d'Igor auraient sûrement trouvé charmante cette musique minestro-
nienne, et que c'était toujours « merveilleux » de se
faire servir par un serveur faussement italien. Tout est
toujours vécu à travers le prisme de la durée du couple. Pour preuve, Jean-Jacques avec Sonia se décidait
sans la moindre hésitation. Quand on est heureux, on
se fout royalement de ce qu'on mange.

Tous les deux souriaient en silence. Claire commençait à être agacée, et cette sensation terrible la rappro-

chait de sa mère. Ce fut fugitif mais, oui, l'éclair d'un instant, elle était devenue sa mère. Sa mère regardant son père, avec le même regard de dégoût. En méprisant son mari, et sa façon de sucer son olive verte, elle était devenue sa mère méprisant son père. Elle se mit à rire nerveusement.

« Pourquoi ris-tu ? » demanda Jean-Jacques.

Et là, sans même réfléchir, elle énonça un mensonge d'une grande perversité :

« Je pense à notre voyage à Genève... quand nos valises avaient été perdues. »

Mais cette perversité s'était éclipsée, volatilisée dans la pureté du souvenir suisse. Genève était leur refuge et, encore et toujours, ils s'y engouffrèrent. Leur Genève était leur roue de secours, leur façon d'affronter le ridicule grotesque de la vie ; et le ridicule encore plus grotesque de la vie de couple ; et le ridicule encore plus grotesque que grotesque de la vie de couple dans un restaurant italien. Se réfugier dans leur souvenir référent. Le souvenir qui cristallise ce qu'a été leur amour, qui fige leur beauté qui est aussi leur mort.

Chaque couple possède son Genève.

Ce type de souvenir est exactement comme le doudou d'un enfant ; une sorte d'étoffe dans laquelle on peut s'enfouir, se protéger et s'oublier, en cas de difficulté. De nombreux couples, souvent inconsciemment, matérialisent le souvenir référent par une photo aux belles couleurs, parfaitement encadrée dans un cadre parfait, et proposée à tous les regards dans le salon. Ce souvenir référent prend alors une autre ampleur ; il est la preuve du bonheur. Trônant sur un buffet, l'amour s'illusionne d'éternel. Pour parfaire l'ironie de cette quintessence mythique de l'amour, il n'est pas rare qu'en réalité le voyage anthologique ait été truffé de galères transformées en épisodes risibles et mémorables. En d'autres termes, ce voyage à Genève avait été un voyage de seconde zone. Avec de la pluie, des pertes de bagages, et des additions qui n'étaient qu'une succession de pures arnaques touristiques. Mais ce voyage était devenu un mythe car il s'agissait de l'époque mythique de l'amour, celle où les détails sont tués. Ce ne sont jamais les couples qui s'effritent ; ce sont les restes du monde et de l'humanité qui, lentement, reprennent leur place ; qui, lentement, grignotent le terrain momentanément cédé à l'amour.

Après Genève, ils parlèrent de Louise.

« Tu as vu comme elle a fait des progrès au piano, s'extasia Jean-Jacques.

— Oui, elle est formidable.

— Elle fait ses gammes toute seule, sans même avoir de professeur à ses côtés !

— Oui, elle est formidable.

— Et la danse ? C'est incroyable comme elle est souple !

— Oui, elle est formidable.

— Et le chinois ? Tu as vu comment elle a dit bonjour à la serveuse au restaurant chinois.

— Oui, elle est formidable.

— ... »

Le problème de Louise était d'être un très mauvais sujet de conversation. On ne pouvait rien attendre d'elle ; même une appendicite, elle ne la faisait pas ; même un petit quelque chose de quoi s'inquiéter un tantinet, de quoi réunir le couple sur une angoisse commune ; rien, même pas rien. Quant à la fameuse crise d'adolescence, même si Louise était précoce, elle paraissait encore bien loin.

Heureusement, il y a toujours un vendeur pakistanais qui permet de tuer quelques secondes en proposant des fleurs épuisées. On se demande bien qui achète ce type de fleurs. Quoi qu'il arrive, c'est toujours un moment qui plonge les couples dans une grande perplexité. L'homme et la femme font mine de ne pas vouloir ces fleurs au rabais. Mais l'homme se sent toujours quelque peu gêné ; il se dit que, même si c'est ridicule, la femme aurait peut-être aimé se faire offrir des fleurs. Il n'ose jamais, et se sent toujours un peu coupable. Bien sûr, ce sentiment était décuplé chez un Jean-Jacques. Le « non merci » qu'il adressa au Pakistanais n'était pas vraiment assuré. Le Pakistanais, en vendeur redoutable, sut parfaitement repérer cette faille. Il enfonça le clou :

« Vous êtes sûr ? Ça ferait plaisir à madame. »

Le vrai but de ces vendeurs est de semer la pagaille dans les couples. Jean-Jacques, au lieu de le renvoyer fermement, demanda à Claire :

« Ah bon... ça te ferait plaisir ? »

Et voilà que, maintenant, c'était à elle de décider. Autant dire que rien n'est plus désespérant qu'une attention dont on est à l'origine. Consternée, elle répondit que non. En une seconde, elle avait congédié le vendeur ; alors que son mari aurait été capable de s'empêtrer dans ses tentacules pakistanais pendant des étés indiens entiers. Mais, au bout d'un moment, Claire se décidant à jouer avec son mari, se décidant à abuser de sa minable indécision, avoua :

« Quand même... finalement, je crois que cela m'aurait fait plaisir. »

Enfin, Jean-Jacques recevait une information concrète. Il se leva précipitamment, et acheta tout le bouquet au vendeur. Quand elle le vit revenir, avec son bouquet ridicule et sa mine des grands jours, Claire fut, à sa grande surprise, touchée. Elle se leva pour embrasser son mari. Rien ne serait plus jamais simple.

Le serveur italien (qui avait une tête à être né à Châlons-sur-Marne) apporta les cafés, et baragouina dans un français approximatif que les chocolats, offerts par la maison avec le café, étaient suisses.

VII

Jean-Jacques avait touché un bonheur presque fou avec Sonia. Leurs rapports avaient évolué, et ils avaient appris à mieux se connaître. Elle était amoureuse, il ne pouvait plus en douter. Et c'était un amour qui demanderait à être légitime. Une attitude de la jeune femme avait été à l'origine de cette prise de conscience. Quelques jours auparavant, il avait sollicité son aide. Elle était venue rapidement, avait ouvert la porte, mais cette fois, au lieu de se placer dans cet entre-deux érotique, elle était entrée dans le bureau. Aussitôt, Jean-Jacques était devenu tout blanc.

« Qu'est-ce que tu as ? », s'était inquiétée Sonia.

Dans sa logique, son entrée dans le bureau signifiait : « J'aimerais que tu quittes ta femme. » Et dans un élan d'anticipations nerveuses, il s'imaginait déjà ne plus voir sa fille. Revenant à la réalité, il évacua rapidement ce qu'il avait à dire à Sonia. Une fois seul, il se mit à pleurer. À pleurer vraiment, de grosses larmes qui jaillissaient d'un coup. Il était incapable de se souvenir quand il avait pleuré pour la dernière fois. Pour ses parents, peut-être. Non, il se souvenait maintenant qu'il n'avait pas pleuré pour ses parents. Le choc avait été beaucoup trop violent. Mais là, le drame était plus insidieux, il y avait de l'espace pour les larmes, beaucoup d'espace. La confusion allait le plonger dans un désarroi qu'il aurait de plus en plus de mal à cacher.

Le dimanche midi, en attendant le gigot, Jean-Jacques s'était retrouvé seul à table avec son beau-père. La discussion lui avait paru interminable ; chaque parcelle d'évocation d'un sujet de société s'incrustait avec lenteur dans son oreille. Il regardait sa fille jouer dans le jardin, elle courait lentement après un cerf-volant imaginaire. Claire était dans la cuisine avec sa mère depuis un temps qui frôlait l'éternité. Renée ressassait une dispute qu'elle avait eue avec son mari pendant la semaine, et criait :

« Je n'en peux plus ! J'ai un *e* de plus que lui, et ça fait toute la différence ! »

Claire écoutait sa mère, écœurée par le spectacle récurrent des disputes. Ses parents n'étaient sûrement pas le seul couple âgé ne se supportant plus. Loin de là. Ceux qui tenaient jusqu'à la vieillesse possédaient forcément des capacités de résistance fabuleuses.

« Ah, tu sais comment est ton père ! » enchaînait Renée.

Mais Claire, dans une phase de vie où elle remettait tant de choses en questions, décida que, non, elle ne savait pas comment était son père. On ne connaissait rien de personne, jamais. Elle était décidée à détester cette expression qui nous raccourcissait. On ne cessait de nous renvoyer des images qui n'étaient pas les nôtres, on vivait sous le diktat des perceptions d'autrui. Alors, non, elle ne savait pas comment était son père. Elle ne savait rien :

« Non, je ne sais pas.

— Mais si, tu sais !

— Non, je ne sais pas comment est Papa !

— Mais voyons, bien sûr que tu sais ! »

La discussion aurait pu durer des heures. Renée regarda sa fille avec étonnement (les tomates étaient prêtes). Claire comprit qu'il était impossible de remettre quoi que ce soit en question.

Enfin, on coupa le gigot. Enfin, on grignota ce dimanche qui n'en finissait plus. Jean-Jacques mâcha difficilement. D'une manière appuyée, il attarda son regard sur ses beaux-parents, pour les garder en mémoire au cas où il ne les verrait plus. Cette idée le rendait triste, mais il se ressaisit aussitôt : si jamais Claire et lui venaient à se séparer, il pourrait au moins se réjouir de ne plus avoir à ruiner ses dimanches. Fugitivement, il se demanda s'il existait une vie le dimanche, loin des familles. Au moment où son beau-père lui proposa la prune habituelle, il répondit :

« Non merci. Pas de prune aujourd'hui, je vais plutôt aller me reposer... »

Il y eut un silence.

Pour René, c'était l'affront suprême. En d'autres temps, il aurait pu le provoquer en duel pour ce qu'il venait d'entendre. On n'avait pas le droit de lui refuser une prune.

« Jean-Jacques a beaucoup de travail en ce moment ? » s'inquiéta Renée.

Claire avait repéré un rayon de soleil dans la voix de sa mère. Elle attendait depuis si longtemps un dérapage, une faille dans l'image du bonheur. Tout le monde suivait Jean-Jacques du regard ; il s'allongeait maintenant dans le hamac. Claire fut dégoûtée par cette vision. La façon dont il infligeait à tous le spectacle répugnant de sa mollesse l'étouffait.

Alors, elle se leva.

Lentement, le mouvement fut lent. Pas tragique, juste lent. Louise s'arrêta de jouer, les parents s'arrê-

tèrent de digérer ; il y avait dans cette démarche anodine quelque chose de supérieur, quelque chose qui
attirait d'une manière puissante le regard, quelque
chose qui avait la force d'arrêter le temps. À hauteur
du hamac, elle regarda Jean-Jacques, et lui annonça
de la manière la plus simple qui soit : « Je te quitte. »

DEUXIÈME PARTIE

I

Après ces trois mots, Claire se dirigea vers ses parents. Elle énonça avec la même simplicité mécanique :

« Je viens de quitter Jean-Jacques. Bon dimanche. »

Et elle prit la main de sa fille.

« On n'attend pas Papa ? demanda Louise.

— Mais non, tu vois bien qu'il dort. »

Elles partirent sans se retourner. Jean-Jacques était figé ; il ressemblait à ces hommes hypnotisés entre deux chaises. René fut préoccupé par une situation plus urgente : le sort de sa femme. Dans le surgissement des dérives, il ne fallait tout de même pas négliger la hiérarchie familiale. Renée gigotait d'une manière nerveuse, assez peu régulière (ce manque de régularité agaça René, lui, l'homme de rigueur). C'était apparemment une crise d'hystérie ; elle hoquetait des bribes de phrases : « Non, ce n'est pas possible... non, ce n'est pas vrai... » Il comprit que la situation dérapait, que ce dimanche changeait de couleur, ce dimanche devenait comme un autre jour, une sorte de lundi de novembre. Pris d'une certaine panique, René n'était plus que le vestige de lui-même[1]. Il

---

1. Ce serait le début de sa carrière d'homme rabougri.

décida dans un premier temps de se servir une petite prune. Et, dans un second temps, il décida de réitérer ce qu'il avait fait dans un premier temps. Enfin, une fois la valse à mille temps passée, il prit la sage décision d'appeler du renfort. Heureusement, son voisin n'était autre que le docteur Renoir, principal médecin de Marnes-la-Coquette.

Ce dernier ferma vite ses volets à la seconde où il aperçut la mine déconfite de René. Il avait toujours senti chez les gens un sans-gêne quand il s'agissait de le déranger. Le dimanche, il préférait faire le mort. Mais son mouvement d'humeur fut très vite rattrapé par un redoutable tiraillement de conscience. On n'échappe jamais à son destin ; depuis des dizaines de générations, on était médecin de père en fils chez les Renoir (et dire que chez les autres Renoir, on passait de la peinture au cinéma...) ; depuis des dizaines de générations, les dimanches avaient été saccagés par du voisinage instable. Il ouvrit la porte en soufflant :

« Mais qu'est-ce qui se passe ?

— Je... je... »

L'abus d'alcool lié au dérapage du dimanche avait empiété sur la capacité de René à s'expliquer correctement. Il fit de grands gestes dirigés vers chez lui. Renoir décida de l'ausculter sur-le-champ.

« Heu...

— Tu sais, il faut vraiment que tu arrêtes de boire... Je sais que c'est pas toujours rose la vie, loin de là même...

— Heu...

— Mais parfois, il faut savoir prendre les bonnes décisions. Rien n'est trop bon pour ta santé, tu le sais bien... »

Au bout d'un moment, René réussit tout de même à tirer Renoir chez lui, et le pauvre constata les dégâts. Il découvrit alors quelque chose de terrible : la mort d'un dimanche.

Renoir s'empressa de demander ce qui s'était passé. Soulagé de ne plus être seul, René expliqua que sa fille avait quitté son gendre. Ragaillardi, il osa même une petite hypothèse :

« C'est sûrement un choc émotionnel, non ?

— Oui, probablement », confirma le docteur.

René fit un petit bond extatique, fou de joie à l'idée de se sentir utile ; mais, en tournant la tête, il fut à nouveau face à sa femme, et dut reprendre une posture digne de mari inquiet. Renoir, quant à lui, se laissa un instant partir dans une rêverie où il s'imaginait couler des jours heureux avec la fille de ses voisins nouvellement célibataire. Depuis des années, il fantasmait sur Claire, se laissant aller parfois à quelques masturbations délicates. La nouvelle le rendit d'autant plus content de soigner Renée, et il lui administra une petite piqûre pour la calmer. Ensuite, ils la transportèrent dans sa chambre. Assez vite, elle se mit à ronfler pour ne plus entendre les échos lancinants de ce qui l'avait tant choquée.

Il fallait maintenant s'occuper du gendre qui finissait piteusement sa carrière de gendre. Si Renoir était un homme doté d'une certaine compassion, il ne put refréner la palpitation d'une petite jouissance intérieure devant la vision de cet homme délaissé par sa femme[1]. Cela faisait six ans que Marilou Renoir était

---

1. Et ce sourire que ne vit pas Jean-Jacques serait la première manifestation de ce qu'il constaterait un peu plus loin dans sa vie : beaucoup de gens allaient se réjouir de son malheur, et en éprouveraient même un certain bonheur.

partie. Oui, sa Marilou à lui, partie sans même prendre ses affaires, sur un coup de tête, quelle ingrate. Elle avait envoyé une petite carte postale pour lui dire que c'était fini. Une carte postale, après six ans de mariage…

« Une petite piqûre ? suggéra René.

— Non… Non… Ça, ce sont les aléas de la vie ! Il faut pas croire qu'il est le seul à être passé par là, alors le cinéma, ça suffit ! » s'énerva Renoir.

Ainsi, au lieu de la piqûre, Jean-Jacques eut droit à une grande claque sur sa joue droite. René apprécia cette méthode efficace, tout en regrettant que sa femme n'en ait pas bénéficié. Son gendre revint à lui. Il roula les yeux, cherchant à comprendre où il était. Mais, subitement, sa conscience ne lui laissant pas davantage de répit, il se souvint des trois mots de sa femme, et se mit à pleurer, enfin.

Les larmes étant paradoxalement un signe de vitalité, Renoir quitta la maison, à la manière des héros discrets qui retournent dans leur vie minable. René se précipita vers son gendre pour lui donner un mouchoir. Quelle étrangeté de le voir ainsi ; pour la première fois, il le découvrait avec des larmes. C'était exactement comme si une voiture pleurait. René prit une initiative qui consista à courir à la cave chercher une nouvelle bouteille de prune. Il servit aussitôt un verre, puis un autre, et encore un autre à cet homme dont le visage prenait l'allure d'une éponge, à cet homme qui ne serait bientôt plus qu'un gendre en souvenir. Pour le moment, il fallait boire pour oublier. Et peut-être qu'avec un peu de rigueur, on atteindrait ce stade mythique où l'on oublie qu'on est en train de boire.

En fin d'après-midi, Jean-Jacques titubait dans le jardin. Peu habitué à boire, il avait l'alcool agressif et arrachait des fleurs rageusement. Son téléphone sonna, il se précipita pour répondre, persuadé que c'était sa femme et qu'elle regrettait déjà son attitude absurde. À l'opposé, il entendit les propos parfaitement précis de Claire ; on aurait dit qu'elle avait planifié depuis des siècles son coup de tête.

« J'ai déposé Louise chez Sabine.

— Et pourquoi ?

— Parce que je ne rentre pas à la maison ce soir. Ni les autres soirs.

— Où vas-tu ?

— Je ne veux pas te dire. On parlera plus tard. Pour le moment, je ne veux pas te parler.

— Mais il faudra bien que tu m'expliques ! *(Après un temps :)* Et puis fais attention, si tu me quittes... ne compte pas revenir après. J'espère que tu es sûre ?

— ...

— Si c'est ça que tu veux, va-t'en ! »

Claire préféra raccrocher. Elle était choquée par le ton de Jean-Jacques. Jamais il n'avait été aussi violent. Il enchaînait les injures. René, se sentant un peu responsable, à cause des prunes, osa tout de même :

« Si c'est de ma fille que vous parlez ainsi... hum... je préférerais que vous changiez de vocabulaire.

— ...

— Oui, enfin, c'est vrai... ce ne sont pas des mots à dire... », s'enfonça-t-il.

Jean-Jacques avait les yeux rouges. René pensait qu'il aurait mieux fait de se taire, que c'était inutile de demander quoi que ce soit à un homme qui ne répondait plus de rien. Mais finalement, Jean-Jacques s'excusa.

« Vous lui avez dit pour sa mère ? demanda René.

— Ah non, je n'ai pas pensé...

— Bon... Je le ferai plus tard... »

Face à la mine déconfite de Jean-Jacques, il se sentait comme devant un tableau d'art moderne ; il ne pouvait que hocher la tête en faisant semblant de comprendre.

« Vous comprenez les femmes, vous, René ? lui demanda Jean-Jacques.

— Heu...

— Tout va bien... et puis comme ça, d'un coup, elles explosent...

— Heu...

— On n'est pas sur la même planète, c'est ça ?

— Heu... »

Jean-Jacques se reprit. Malgré l'alcool, il conservait suffisamment de lucidité pour se rendre compte du ridicule de la situation : il n'allait tout de même pas parler des femmes avec son beau-père ; autant discuter patinage artistique avec un boxeur. Il se leva et partit sans rien dire.

II

À l'instar de beaucoup de criminels traqués, les femmes quittant leur mari qui végète dans un hamac retournent se réfugier sur le lieu de leur enfance. Après avoir déposé Louise, Claire s'était précipitée dans un taxi et la première adresse lui venant à l'esprit avait été celle de l'avenue Junot. C'était l'époque d'avant Marnes-la-Coquette. Face à leur ancien appartement, il y avait le même petit hôtel qu'autrefois. Elle décida d'y prendre une chambre. Juste avant d'entrer, elle jeta un coup d'œil à la fenêtre de sa chambre d'enfant. Il lui sembla se voir fugitivement ; comme un dédoublement. La petite fille qu'elle avait été la contemplait maintenant dans sa vie de femme. Claire voulut y voir un encouragement.

Une fois installée, elle ne sut que faire. Ne pouvant rester seule, elle téléphona à Igor. Il proposa de se retrouver dans un café, mais elle préférait aller chez lui. Elle voulait du calme. Complètement pris au dépourvu, Igor rangea son appartement à une vitesse fulgurante. Juste avant d'ouvrir la porte, il se précipita pour prendre un livre :

« Je ne te dérange pas... tu es sûr ?

— Bien sûr que non, j'étais en train de lire », dit-il en soufflant.

Claire s'installa sur le canapé. Igor proposa un thé, puis des gâteaux secs, puis du chocolat, puis un autre thé : ils ne savaient quoi se dire. Finalement, Claire annonça : « Je viens de quitter Jean-Jacques. » Igor manqua de s'étouffer tout en se maudissant de ne savoir davantage contrôler ses émotions (un mélange étonnant). Il réussit à reprendre assez vite le dessus :

« Comment te sens-tu ?

— Ça va, je crois... mais j'ai été assez choquée par sa réaction, il était tellement agressif.

— C'était peut-être de l'orgueil...

— Je ne sais pas... Tout s'est passé si vite... Je me demande si, au fond de lui, il n'attendait pas ça depuis longtemps... Je l'ai vu dans le hamac... Et je n'ai pas supporté l'idée du hamac...

— Le hamac ? » s'inquiéta Igor.

En écoutant Claire, il se leva discrètement pour aller fermer la porte de sa chambre. Puis, il se rassit :

« Le hamac... tu disais... »

Il avait une façon de l'écouter qui l'apaisait. Quand elle l'avait rencontré, jamais elle n'aurait pensé qu'il serait ce genre d'homme, celui qu'on appelle quand on ne va pas bien. Le genre d'homme dans les bras duquel on aimerait se blottir. Il était doux. Il s'approchait d'elle maintenant, surpris par sa propre initiative, comme un poisson à qui on aurait subitement greffé des jambes. Une fois l'étonnement passé, il fut lentement envahi par un sentiment de confiance. Un sentiment de plus en plus fort, un sentiment qui serait irrémédiable. Se tramait sûrement ici une des grandes magies de la psychologie humaine. Pour soigner sa timidité, il fallait être en position de réconforter quelqu'un (bien sûr, cela marche uniquement avec une personne dont on aime chaque variation...) ; pour soigner sa timidité et son manque de confiance en soi, il fallait être face à une femme fragile, une femme qui se repose sur vous, et qui vous force par son attitude à être ce que vous n'avez jamais été. Par un jeu d'équilibre, il venait de développer en lui une force insoupçonnable. Jamais il ne pourrait oublier ce moment où Claire avait posé sa tête sur son épaule gauche ; il aurait pu trembler d'émotion à cet instant, mais, au contraire, son émotion si forte se transforma en une solidité redoutable. Ce moment où Claire posa sa tête sur son épaule gauche, ce moment où il contempla le mouvement de ses cheveux ; quand il posa sa main sur les cheveux de Claire, quand il caressa les cheveux de Claire, au moment précis où sa main se trouvait à deux centimètres de la racine des cheveux de Claire, à cette fraction de seconde, la timidité s'était envolée de lui à tout jamais. C'était la mort de sa timidité (pour d'autres, ce jour avait été la mort du dimanche). Il repenserait toute sa vie à cet instant où il avait serré dans ses bras une fragilité féminine, où il avait enfoui éternellement sa timidité dans une onde capillaire.

Certes, il était préférable que la femme en question se prénommât Claire.

Au creux d'une sublime intimité, on trouvait les sources d'un moment gênant. Claire se releva :

« C'est mignon chez toi ! Tu me fais visiter ? »

Igor paniqua. Il se leva d'un coup et se positionna devant sa chambre.

« Écoute, ce n'est pas très bien rangé. Je préfère que tu visites une autre fois.

— Ah bon, tu es sûr ? dit-elle en essayant de passer.

— Je t'en prie. »

Il avait l'air désarçonné ; on eût dit qu'il cachait un arsenal nucléaire ou, pire, une autre femme. Claire prit son paquet de cigarettes dans son sac, et en profita pour allumer son téléphone. En écoutant ses messages, elle changea de visage. Elle s'excusa aussitôt, et partit précipitamment. Juste après avoir effleuré, un peu moins précipitamment, les lèvres d'Igor. Une fois seul, il entra dans sa chambre pour cacher le hamac qu'il avait acheté quelques jours auparavant.

*
* *

Que peut bien faire un homme timide qui ne se sent plus timide ? Il descend de chez lui, et se précipite dans le métro. Il choisit le wagon le plus bondé et s'installe bien au milieu. Entre deux stations, il se met à hurler très fort. Tout le monde le regarde, tout le monde le juge. Il n'en revient pas d'être capable de supporter un tel flot de regards ; il n'en revient pas de ne pas être mort de honte. On le prend pour un fou. Et puis on l'oublie puisqu'il descend à la station suivante. Sa démarche est glorieuse.

*
* *

Le taxi s'arrêta à Marnes-la-Coquette. Pendant le trajet, Claire avait appelé son père pour prévenir de son arrivée. Il la guettait sur le perron, il semblait plus petit. Jamais elle ne l'avait vu aussi paniqué. Il s'approcha, et elle perçut dans son regard des couteaux.

« Où étais-tu ? J'ai essayé de te joindre toute la soirée...

— Oui, je sais... pardonne-moi... »

Elle entra dans la maison. Il lui servit une petite prune et expliqua ce qui s'était passé. La crise de sa mère après son départ. Claire avait du mal à imaginer que cette rupture l'ait autant affectée. René lui parla de Renoir, de la piqûre, et de la longue sieste qui s'en était suivie. Mais, en début de soirée, dès l'instant où elle s'était réveillée, elle avait recommencé à délirer. Elle criait sans cesse : « Marcello ! Marcello ! »

« Marcello ? demanda Claire.

— Oui, elle adore *La Dolce Vita*... Il y a cette scène où...

— Oui je vois, coupa Claire. Et alors ?

— Eh bien que voulais-tu que je fasse ? Je suis retourné chez Renoir... Il est revenu, alors qu'il était en train de réparer ses volets... Pour la deuxième fois, il s'est déplacé un dimanche... Et il lui a fait une nouvelle piqûre...

— Mon Dieu... tout est de ma faute...

— Tu aurais pu juste éviter d'être si brutale... » conclut René.

Claire était effondrée. La scène repassait devant ses yeux ; elle n'avait pas pu faire autrement... Jean-Jacques dans le hamac, Jean-Jacques dans le hamac, se répétait-elle...

Quelques minutes plus tard, elle entrait dans la chambre de sa mère. C'était la première fois depuis longtemps qu'elle la contemplait sans mouvement. Elle pensa fugitivement qu'il s'agissait là d'un avant-goût de sa mort. En quittant la chambre, elle prit un cachet et dormit quelques heures sur le canapé. Le lendemain, tout allait bien mieux. Renée était sortie dans son jardin dès les premiers rayons du soleil, et coupait quelques mauvaises herbes. Claire s'approcha.

« Ça va maman ? Comment tu te sens ?

— Tout va bien ma fille. Ne t'inquiète pas.

— Mais... hier...

— Tout va bien, je te dis... Ça arrive à tout le monde de débloquer un peu, non ?

— ...

— Allez viens, j'ai préparé du café. »

Claire fut soulagée, et suivit sa mère dans la cuisine. Elle n'osait pas parler. Ce lundi matin lui paraissait comme un 29 février, un jour qu'on a l'impression de voler à l'immuabilité des choses. Elle but quelques gorgées de son café. C'était sa première journée de femme célibataire. Elle ne voulait surtout pas revenir sur les faits de la veille, mais sa mère s'en chargea :

« Tu sais... il est important que tu penses à toi... tu dois vivre ce que tu dois vivre.

— ...

— On ne vit qu'une fois...

— ... »

Claire fut surprise de ces mots. Ils ne ressemblaient pas vraiment à la tonalité de sa mère. Elle enchaînait gentiment les formules semi-bouddhistes, comme si Vishnu s'était infiltré en elle pendant la nuit. Finalement, ce n'était pas si étonnant ; il n'était pas rare de gagner en sagesse quand on perdait (même momentanément) la raison. Pour la première fois, Claire voulut effleurer sa mère, tenter d'ouvrir quelque brèche dans l'attendrissement.

« Merci maman... Tes encouragements me touchent...

— Oui, mais tu sais... Il y a une chose qu'il faut que tu saches...

— Ah oui ?

— Une chose très importante.

— Je t'écoute.

— Eh bien. Je pense que tu devrais te raser la barbe.

— ...

— Oui, je dis ça pour ton bien. Les hommes n'aiment pas les femmes barbues.

— ...

— Ça pique, et surtout ce n'est pas pratique... »

Claire passa sa main sur son visage, vérifiant l'inconcevable, avant d'admettre une légère rechute de sa mère. Cette dernière continuait d'épiloguer sur la pilosité des femmes. Claire s'excusa un instant, et partit à la recherche de son père. Allongé dans son lit, il écoutait la radio tout en tentant de trouver une bonne position, comme un entraînement à sa sieste de l'après-midi. Claire l'informa de la situation, et il ne put faire autrement que de délaisser le conflit israélo-palestinien. Dans l'entrée de la cuisine, ils restèrent tous deux figés dans la contemplation de Renée. Il y avait là comme un problème.

III

Quelques heures après le hamac, Jean-Jacques avait quitté Marnes-la-Coquette. Dans le taxi qui le ramenait à Paris, il n'avait cessé de penser à la brutalité de Claire. Il allait profiter de la vie et devenir un Édouard, si c'était ça qu'elle voulait. Il trouvait la situation bien injuste : pendant des années, il avait été le prototype du mari aimant et fidèle, et voilà qu'à la première incartade, il perdait ce qu'il avait semé à la sueur de sa frustration. Le taxi s'arrêta devant un bar. Jean-Jacques, dans sa nouvelle peau d'homme célibataire, observa les femmes. Avec une aisance feinte, il s'installa à une table, et commanda un whisky. C'est vrai qu'il avait déjà beaucoup bu aujourd'hui, mais il était un autre homme maintenant. Toutes les particules de son corps, à commencer par son foie, devraient s'adapter au célibat, à la débauche, à la sexualité facile. D'ailleurs, cela ne tarderait pas car il repéra une femme assez chic qui le dévorait du regard. Se trouvant beau, il comprenait parfaitement le désir irrépressible qu'il suscitait chez cette inconnue. Depuis des années, avec les œillères de la fidélité, hormis Sonia, il n'avait pas pu tester sa capacité de séduction. En tournant la tête, il vit une autre femme qui semblait tout aussi intéressée. C'était incroyable toutes ces femmes disponibles qui traînaient dans les bars. Il avait lu dans le journal qu'il y avait beaucoup plus de femmes que d'hommes ; il en avait maintenant la preuve. Claire avait fait une énorme erreur. Il ne faudrait pas qu'elle vienne pleurer pour revenir quand il croulerait sous les propositions.

Il se dirigea vers la première femme qu'il avait repérée. Il titubait légèrement ; mais cela pouvait toujours passer pour de la nonchalance savamment dosée. Il proposa de lui offrir un verre, et la femme accepta. Les choses étaient simples. Jean-Jacques fit quelques blagues que la femme, en fine connaisseuse, apprécia par des rires vifs. Comblée d'émotion, elle ne tergiversa pas et demanda :

« Vous voulez qu'on aille à l'hôtel ou chez vous ? »

Quel séducteur il était. Certainement pas du genre à tricoter pendant des heures ; avec lui, les femmes savaient aller à l'essentiel. Elles étaient subjuguées, prises par un désir bestial tout à fait incontrôlable...

« Par contre, je préférerais que vous me payiez avant... », enchaîna-t-elle.

... une force masculine en plein déploiement, variant la sensibilité avec des esquisses charnelles, un mélange explosif...

« Quoi ? demanda-t-il.

— ... C'est juste que je préfère que la chose soit réglée... »

En un éclair, Jean-Jacques tourna la tête et vit partout des femmes souriantes et légèrement vêtues. Il était entré dans un bar à hôtesses. Il se sentit aussi ridicule qu'un homme victime d'une arnaque croate, et préféra partir en courant.

Il était déjà bien tard. Il hésitait entre vomir et rire de sa stupidité. Finalement, il entra dans un autre bar où cette fois-ci les femmes étaient tout aussi gratuites que rares. Il s'avança vers l'une d'elles, un verre à la main. Après l'affront précédent, il repartait de zéro :

« Vous avez du feu ? demanda-t-il.

— Oui... », répondit la femme, trouvant l'attaque médiocre.

Mais, au moment où elle sortit son briquet, Jean-Jacques s'aperçut qu'il n'avait pas de cigarette.

« Vous êtes un comique, vous... », sourit-elle.

Jean-Jacques était fier de lui. Son attaque était redoutable. Il avait entendu dire que les femmes qui rient se préparent mentalement à faire l'amour. Il fallait enchaîner maintenant ; le plus vite possible. Le temps passait, et il ne trouvait rien à dire. Désespéré, il lâcha sa phrase passe-partout, celle qu'il utilisait avec son beau-père :

« Je crois que cela ne sert à rien de voter pour les Verts. »

Après un blanc consterné, la jeune femme le gifla.

Jean-Jacques fut l'objet de tous les regards. Le patron s'approcha de lui :

« Et qu'on ne te revoie pas de sitôt. On n'aime pas les pervers ici ! »

Choqué, Jean-Jacques quitta le bar. Qu'avait-il fait pour susciter autant de haine ? Sa phrase n'était pas méchante, c'était juste pour meubler la conversation. Après moult tergiversations, il ne voyait qu'une explication : Claire était à la tête d'une secte internationale de femmes qui le détesteraient toute sa vie.

En rentrant, il pensa enfin à Sonia. Il se sentait soulagé et plaignait les pauvres types qui se font larguer sans même avoir une maîtresse. Dans la rue, il aperçut une affiche de la femme qui venait de le gifler. Il pensait que, cette fois-ci, sa lucidité lâchait réellement prise. Mais en s'approchant, il vit que cette femme était tête de liste des Verts pour les élections européennes. Il n'avait vraiment pas de chance. C'était le point d'orgue d'une journée maudite. Heureusement, le soleil pointait sa tête de lundi. Une fois arrivé chez lui, il admit qu'il serait inutile de se coucher. Une petite douche, un rasage et au travail. Il prit trois aspirines vitaminées pour anéantir son mal de tête et tenter de retrouver des mouvements cohérents. En se rasant, il se coupa. Sur la plaie, il colla un petit pansement.

Devant l'ascenseur, Jean-Jacques croisa Berthier, un collègue qui s'occupait des flux boursiers. Ils étaient les premiers à arriver, et, deuxième coïncidence, portaient le même pansement au même endroit du visage. On eût dit qu'ils se neutralisaient visuellement. Alors qu'ils échangeaient habituellement des banalités de collègues, ils restèrent figés dans le silence. Finalement, Berthier rompit la glace :

« Toi aussi, tu as des problèmes avec ta femme ? »

Jean-Jacques haussa les épaules, mais ne parvint pas à esquisser un sourire de façade. Il n'avait jamais vraiment aimé ce Berthier, et ferait tout désormais pour savonner discrètement la pente ascendante de sa carrière. Une fois dans son bureau, Jean-Jacques fut vaguement titillé par l'idée de faire quelques pompes, mais très vite il admit la totale inutilité d'une telle entreprise. Épuisé, il était incapable d'ouvrir un dossier. Il attendit l'arrivée d'Édouard pour le cueillir avec son malheur. Son ami apprit la nouvelle avec stupéfaction. Pendant une longue minute, il fut dans l'impossibilité de fournir une réponse rassurante. Puis trouva enfin les mots :

« Écoute vieux, ça va aller… Ça va s'arranger… Et puis, tu sais, une femme qui ne te quitte pas au moins une fois, ce n'est pas vraiment une femme…

— ...

— Et je serai là pour toi comme tu as été là pour moi... Tu passes à la maison quand tu veux... »

Cette dernière phrase avait été terrible pour Jean-Jacques. Il était hors de question pour lui de comparer leurs situations ; on ne comparait pas la panne d'un avion à un crash. Édouard voulut serrer son ami dans ses bras mais n'osa pas : leur amitié n'avait jamais été très tactile. Ils se quittèrent, gênés.

Ce moment amical l'avait quelque peu achevé. Il flotta une bonne partie de la journée dans le costume du salarié modèle, faisant semblant de travailler avec une délicatesse maniaque. En fin d'après-midi, il s'inventa un rendez-vous très important avec un homme d'affaires nippon. M. Osikimi. Oui, Osikimi. Il aimait bien ce nom ; il avait passé une bonne demi-heure à le trouver. Et comme les enfants seuls qui s'inventent des amis imaginaires, Jean-Jacques n'avait pas tardé à regretter la virtualité de ce rendez-vous. Il se dit qu'on devait se sentir bien, avec ce Osikimi.

IV

Jean-Jacques n'était pas du genre à se laisser abattre. Après une bonne nuit de sommeil, il reprit un rythme de vainqueur. Tous les soirs, après le travail, il passait voir sa fille chez Sabine. Sachant qu'elle ferait un rapport à sa femme, il avait dû résoudre auparavant un dilemme d'une grande complexité : devait-il se présenter de bonne humeur, et faire croire que tout allait pour le mieux ; ou devait-il jouer au dépressif ? Finalement, il avait opté pour la première solution. Il tenterait d'être indifférent à la décision de sa femme, persuadé que sa froideur la ferait revenir. Mais face à sa fille des brèches d'intense émotion brisaient ses tentatives de paraître. On ne pouvait jamais mentir au-delà de ses limites. Sabine le trouvait pathétique par instants ; et elle en était touchée. Pour la première fois, il lui semblait que cet homme qu'elle n'avait jamais réellement apprécié, qu'elle avait toujours trouvé quelque peu superficiel, devenait vrai.

Il passait toutes ses soirées avec Sonia ; surtout pour ne pas rester seul. On les retrouvait maintenant dans un restaurant italien. Devant l'hésitation de sa maîtresse, Jean-Jacques l'interrogea :

« Tu es sûre que ça va ?

— Oui… c'est juste que j'hésite entre des pâtes et une pizza. C'est tout le problème des restaurants italiens.

— C'est tout le problème de la vie », ironisa-t-il.

Sonia voulait profiter de ce dîner pour discuter de leur relation.

« Tu ne me parles plus du tout de ta femme… Tu es libre tous les soirs…

— …

— Tu ne veux rien me dire ? J'aimerais bien qu'on parle vraiment, savoir ce que tu ressens, comment tu envisages ton futur… »

Le futur. Jean-Jacques considéra à cet instant ce mot comme l'entité la plus floue qui soit, le futur était comme un mot oublié sur le bout d'une langue oubliée. Il fut sauvé par un Pakistanais qui vendait des fleurs. Focalisé sur cet homme qui allait lui permettre de grappiller du temps sur la justification de son futur, il n'entendit pas Sonia souffler qu'elle trouvait ridicules les hommes qui achetaient des fleurs dans ces conditions. Se souvenant du désir de Claire, Jean-Jacques annonça qu'il voulait le bouquet entier.

« Mademoiselle a de la chance », se permit d'ajouter le Pakistanais qui, pour le coup, voyait le futur proche (sa soirée) d'un très bon œil. Sonia, estomaquée, se mit à rire ; mais son rire était mou, son rire était surgelé, son rire était à l'image du tiramisu qu'elle avait choisi dans le menu tout compris.

En retournant à l'hôtel, Jean-Jacques perçut parfaitement le trouble de Sonia. Il avoua sa confusion :

« Je sais que je ne suis pas à la hauteur… Il me faut du temps… Il y a des moments où rien n'est simple…

— …

— ... Des moments où la vie n'est pas comme un long fleuve tranquille... »

Jean-Jacques était heureux d'avoir trouvé cette phrase toute faite. Après un blanc, elle avait surgi dans son cerveau, comme une bouée pour un noyé. Sonia était suffisamment amoureuse pour considérer cette phrase comme un début de dialogue, comme la lettre « f » du mot futur. Surtout, elle ne voulait pas encombrer son amant de questions ; elle savait que la situation était déjà assez compliquée comme ça pour lui (le pauvre). Alors elle l'embrassa, et déposa les fleurs quasi mortes dans un vase sans couleur.

Jean-Jacques n'avait pas envie de faire l'amour. Il alluma la télévision et tomba sur les dernières images des *Ailes du désir*. Devant son enthousiasme, Sonia regretta de ne pas l'avoir vu. Le mot *Ende* apparut sur l'écran. Ce film lui rappelait Claire, ce film était Claire. Elle revenait en lui d'une manière brutale. Pris d'étouffements, Jean-Jacques prétexta vouloir prendre l'air. Il partit sans se retourner. Tandis qu'il marchait, Paris se transformait en Berlin. Dans son esprit, les deux villes se mélangeaient. Le Berlin du film s'était infiltré comme un souvenir tenace. Paris était maintenant décomposé. Paris était maintenant divisé par un mur.

Et chacun vivait de son côté.

Ne sachant que faire, Jean-Jacques alla chez son ami. Édouard, vêtu d'un peignoir en satin, l'accueillit avec un remontant. Face à son visiteur du soir, il se remémora les pires heures de ses malheurs personnels.

« Mais qu'est-ce qui t'arrive ? Je croyais que tu affrontais la situation avec calme.

— Oui, mais là... Je me sens mal... Par moments, Claire est partout en moi...

— Je m'en doutais. On fait toujours semblant au début.

— Mais ça va... C'est juste que, ce soir, j'ai vu un film, et c'était un de nos souvenirs... Je ne peux pas croire que ça soit fini... C'est surtout que je ne la comprends pas...

— Ah, la grande question ! Il faut t'y faire, on ne comprend pas les femmes. Je vais même te dire : nous sommes des touristes au pays de la femme... Les femmes sont toutes des Chinoises, et c'est nous qui avons les yeux bridés... Je ne crois plus du tout au couple... Dans cinquante ans maximum, on va atteindre 100 % de divorces, et alors il faudra bien remettre en cause toute notre façon de voir les choses... Je te le dis clairement : l'amour, c'est juste une façon de mesurer l'usure... », continuait Édouard, dans un flot de paroles.

Merci, tu parles d'un ami. Jean-Jacques était venu chercher du réconfort, et n'avait devant lui qu'un animateur glauque sur le couple. Un animateur armé de phrases toutes faites, comme si la seule façon de survivre au monde féminin était de s'armer d'aphorismes. Jean-Jacques ne voulait pas croire à ces stupidités. Avec Claire, cela avait toujours été différent. Comme tous les couples, ils avaient traversé des moments de crise ; mais ils s'en sortiraient. Ils étaient unis. Il continuait de se répéter qu'il ne voulait pas d'une vie à la Édouard. Tant mieux pour lui s'il avait trouvé son équilibre dans cette vie de non-implication sentimentale. Il continuait à en parler, tentant de le convaincre d'une manière grossière, tel un vendeur fourguant un nouveau mode d'emploi de la vie. Jean-Jacques se leva et remercia son ami pour ses propos réconfortants. Une fois seul, Édouard admit qu'il avait peut-être poussé le bouchon du célibat un peu loin.

Jean-Jacques reprit sa marche dans la nuit. Lors de courts instants, quand la beauté de Paris s'offrait avec évidence et simplicité, il arrivait à se réjouir de l'instant. C'était peut-être ça qu'il fallait chercher, pour se sentir serein ; des éclipses de beauté dans les propositions simples de la vie. Il marcha jusqu'au début du soleil. Et finalement, il préféra retrouver Sonia à l'hôtel. Elle dormait. Le drap reposait sous ses épaules, et ressemblait à une vague immobile sur du sable blanc. Jean-Jacques s'assit sur le lit, et passa sa main au-dessus du dos de Sonia, juste au-dessus, sans la toucher. Son esprit se vidait enfin. Il la trouvait belle, et c'était tout. Elle était d'une beauté épuisante, alors il s'endormit.

V

Claire, qui auparavant était souvent fatiguée le soir, trouvait maintenant de l'énergie pour des nuits sans sommeil. Elle avait déjà passé plusieurs soirées chez Igor. Ils buvaient du vin, et passaient des sujets les plus anodins aux réflexions les plus importantes. Il lui demanda comment allait sa mère.

« Écoute, c'est très compliqué... On a cru à une rechute, et puis non... on dirait qu'elle va mieux... son comportement est juste étrange.

— Comment vit-elle ta séparation ?

— Ça dépend des jours. Tu sais, avec elle, cela a toujours été compliqué... parfois, je préférerais l'empailler comme dans *Psychose* ! »

Igor se mit à rire, mais il enchaîna surtout sur quelques anecdotes concernant le tournage du film de Hitchcock. C'est tout le problème des cinéphiles ; on ne peut pas évoquer un film devant eux sans s'embarquer dans quelques théories. Mais Claire trouvait souvent passionnant ce que racontait Igor. Il avait une façon de rendre vivantes les choses les plus abstraites. Parfois, elle décrochait ; et, dans ces cas-là, elle le regardait avec émotion. Elle se focalisait sur sa bouche, et rien n'était plus sensuel.

*

* *

Ce que nous savons d'Igor ne nous laisse présager en rien ce que nous allons apprendre sur Igor. Sûrement la mise en avant de sa timidité excessive aura laissé germer dans quelques esprits vifs la possibilité qu'il soit puceau. Non seulement cette hypothèse est fausse mais Igor, si surprenant que cela puisse paraître, possédait une expérience sexuelle des plus riches. Pour bien comprendre, il ne faut pas oublier qu'Igor était russe. Et quand on est russe, on fréquente la communauté russe. Dans ce milieu, on trouvait de nombreuses jeunes filles qui, si elles étaient plus ou moins belles, étaient toutes relativement douces. Des filles qu'Igor connaissait depuis son enfance, avec lesquelles il avait grandi, et avec lesquelles il était entré dans l'âge de la découverte sensuelle. Souvent, lors des mariages et des fêtes religieuses, tout le monde se retrouvait dans de belles propriétés avec des arbres suffisamment grands pour cacher l'étendue des désirs. Terriblement timide, Igor ne jouait pas trop avec les garçons ; adolescent, il restait souvent près de son père, assis devant une nappe blanche, contemplant cette nappe blanche, rêvant de devenir cette nappe blanche. Certaines filles, par amitié, pour ne pas le laisser seul, venaient le voir ; elles lui proposaient des promenades qu'il acceptait. En marchant, il ne pouvait pas admirer les paysages puisqu'il ne voyait que ses pieds. Le mouvement des filles, avec des robes blanches, l'intimidait forcément. Mais la plupart du temps, elles ne faisaient pas trop attention à lui. Jusqu'au jour où l'une d'entre elles, une certaine Nina, proposa de jouer à un jeu plus sensuel. Elles devraient embrasser Igor chacune à leur tour. Après, il désignerait celle qui embrassait le mieux. Igor, tout rouge, n'eut pas le temps de refuser. Il se transforma en objet en proie aux langues d'adolescentes russes. Sans rien faire, il venait de réaliser le fantasme de beaucoup d'hommes.

Il fut bien sûr incapable de juger quoi que ce soit ; les langues se mélangeaient les unes aux autres. En revanche, toutes les filles furent admiratives et unanimes en évoquant le goût de la bouche d'Igor. Il possédait une saveur érotique, une saveur qu'il n'avait jamais soupçonnée. Un potentiel érotique, aurait-on pu dire.

Pour son plus grand bonheur, ce jeu dura des années. Et quand vint leur majorité, la plupart des filles couchèrent au moins une fois avec Igor. Ce fut l'occasion pour lui d'acquérir quelques connaissances majeures. Il était devenu un paradoxe vivant : un timide avec une grande expérience des femmes. Mais cette étrange aventure eut deux conséquences peu réjouissantes. La première fut que la succession des jeunes femmes dans sa bouche puis dans son lit l'empêcha réellement de découvrir ce qu'était un sentiment. De ce côté-là, et jusqu'à sa rencontre avec Claire, il était demeuré vierge. Le deuxième écueil fut que certaines filles au physique ingrat profitèrent de l'aubaine. Pas d'un point de vue sexuel (il avait été capable de refuser certaines attaques dangereuses), mais plutôt lors des échanges de langues. Il lui avait été parfois difficile de dissocier les origines des bouches dans ces enchaînements actifs ; et puis, on lui disait qu'il s'agissait d'un concours, alors on ne pouvait empêcher personne de participer. Ainsi, et c'est la dernière chose qu'il faut savoir sur Igor, s'il avait une grande expérience en matière de sensualité, son expérience en matière de non-sensualité était tout aussi conséquente. En d'autres termes, oui, Igor avait déjà embrassé des filles à moustache.

*

* *

Tous les mots échangés jusqu'ici n'étaient que le chemin menant aux lèvres. Ils avaient rapproché leurs têtes, doucement, avec incertitude aussi, et puis avec davantage de certitude, ils s'étaient embrassés. Cela faisait des mois que Claire rêvait d'une telle situation. Faire une nouvelle rencontre, se séduire dans les cafés, évoquer des vieux films, s'embrasser comme des adolescents, tout ça faisait partie d'un rêve qu'elle avait formulé, plus ou moins clairement, dans les étouffements de la routine. Ils se découvraient sans le moindre jeu, dans la pure simplicité de leur désir simple. Igor fermait les yeux de temps en temps, comme pour s'entraîner à visualiser le corps de Claire ; s'entraîner à le conserver en mémoire pour les fantasmes et les jours pluvieux. Claire fut, pendant un instant, connectée à tous les souvenirs de son passé sensuel. Elle repensa à certains anciens amants, il s'agissait d'un écho du plaisir. À dix-sept ans, elle avait couché avec un pianiste un peu plus âgé qu'elle. Il jouait du piano sur son corps, et ne cessait de lui répéter :

« Ton corps produit le plus intense des sons, celui du silence. »

C'était un de ses premiers bonheurs, naïf certes, mais réel. Elle repensait à lui, et ce souvenir la plongeait dans son propre rapport à l'érotisme. D'une manière subite, avec ce mouvement du passé, c'était tout son corps qui se réveillait. Sa vie de femme revenait d'un coup sur le devant de la scène ; ses seins et ses hanches, ses genoux et ses lèvres, ses mollets et ses épaules, son dos et sa nuque, tous étaient des artistes en plein come-back.

VI

Après sa nuit d'errance, Jean-Jacques se réveilla dans la peau d'un autre homme. Un homme qui venait de comprendre l'ampleur de son désastre. Pendant une semaine, il avait été étranger à lui-même, il avait joué une comédie devant Sabine, et passé trop de temps avec Sonia. Les dernières images des *Ailes du désir* avaient marqué le retour au premier plan de Claire dans son esprit. Il allait prendre les choses en main. En fin d'après-midi, il reçut un appel urgent d'Osikimi, et ne put faire autrement que de quitter précipitamment son bureau. Il fonça chez Sabine. Quand elle ouvrit, il s'approcha si près d'elle qu'elle fut dans l'obligation de reculer :

« Où est Claire ? Dis-moi où elle est ? Ça suffit comme ça !

— Mais je ne sais pas…

— Si, tu sais !

— Non Jean-Jacques. Je te le promets.

— Et s'il y a un problème avec Louise, comment tu fais ? Tu vas pas me faire croire que tu ne sais pas où elle est.

— Mais non… Il y a le téléphone… portable. Tu sais, cet objet qui permet d'être joint partout. »

Jean-Jacques s'effondra. Puis, il prit son téléphone pour appeler Claire. Bien sûr, elle ne répondit pas. Il savait que c'était inutile. Pour la première fois, il ne pouvait pas lui parler au moment où il le désirait. C'était une souffrance terrible. Il tremblait à l'idée de ne plus jamais la revoir.

« Tu veux quelque chose à boire ? » lui demanda Sabine.

Elle s'approcha de lui, et posa une main sur son épaule. Il était comme une effraction dans le réel. Son malaise le rendait aussi vrai qu'un acteur de cinéma surgissant de l'écran. Elle redemanda :

« Je te sers un verre ? »

Il n'eut pas le temps de répondre, car sa fille courait vers lui.

« Ah Papa ! C'est une surprise.

— Ma chérie, prends tes affaires. On rentre à la maison. »

Louise s'exécuta, avec son art de ne jamais avoir l'air étonné. Pendant ce temps, Sabine essaya de le faire changer d'avis.

« Écoute, je ne sais pas si c'est une bonne idée... Tu m'as l'air épuisé...

— Ça ne te regarde pas. C'est ma fille. Et si Claire te parle, dis-lui de revenir à la maison... Tout est fini. On reprend notre vie, comme avant... »

Ils partirent comme des fugitifs. Sabine prévint aussitôt Claire, lui disant qu'elle n'avait rien pu faire. En raccrochant, elle fut soulagée de ne plus être au milieu de leur histoire. Surtout, elle les trouvait tous égoïstes. Sa vie sentimentale était Hiroshima, et tout le monde s'en foutait. On passait, on repartait, sans même lui demander son avis. Claire et Jean-Jacques avaient des malheurs de gens heureux ; alors qu'elle, elle passait sa vie à essayer de parsemer de petits bonheurs ridicules sa vie malheureuse.

À peine Jean-Jacques avait-il franchi le palier que le téléphone sonna.

« Tu aurais pu au moins me demander, attaqua Claire.

— J'ai le droit d'être avec ma fille chez moi, non ? Et toi aussi, tu peux venir.

— Non.

— Quoi, non ?

— Non. Je préfère ne pas te voir.

— Mais il faudra bien qu'on s'explique. Dis-moi où tu es ?

— Non.

— Il y a un autre homme, c'est ça ?

— Bon arrête. Je ne veux pas te voir, c'est tout.

— Et ta fille ? Si tu ne veux pas me voir, comment tu vas faire ?

— Tu es minable. Je ne pensais pas que tu serais si minable.

— Je suis minable parce que je t'aime !

— Ma fille, je lui parlerai au téléphone. Et nous nous verrons dans quelques jours, voilà…

— Je t'en prie. Dis-moi où tu es.

— … »

Un peu plus tard, Jean-Jacques errait dans l'appartement. Il ressassait : « Comment ai-je fait pour tout casser ? » Unique interrogation, lancinante. Assis sur le rebord du lit, il resta ainsi jusqu'au matin. Sa fille le surprit, mais fit mine de le trouver normal :

« Papa. Il est l'heure que tu viennes me réveiller.

— Ah oui. Réveille-toi, ma chérie.

— Bon, tu m'accompagnes à l'école, ou on appelle Caroline ?

— Heu…

— Le mieux, c'est d'appeler Caroline. Et de lui dire aussi de venir me chercher. Et peut-être de s'installer là, le temps que maman revienne, non ?

— Oui, c'est ça. »

Il s'exécuta.

Jean-Jacques se retrouva seul. Rien n'était pire que de ne pas savoir où était Claire. Il avait pensé aller à Roissy, mais Sabine lui avait dit qu'elle avait pris un congé exceptionnel. Le genre de congé qu'on prend quand on est enceinte. Elle accouchait d'une décision, sûrement. Jean-Jacques aurait voulu faire une échographie, empiéter sur le futur, savoir dès maintenant si elle accoucherait, oui ou non, d'une rupture définitive. Il regarda plusieurs fois sa montre électronique Il guettait le passage des minutes, épaté par la précision de la chose la plus rationnelle qui soit, l'écoulement du temps. Il aurait voulu être un peu le temps, comme ça, juste une journée, pour se sentir stable ; pour être un homme que rien n'arrête, dont rien ne perturbe la trajectoire tranquille. Quand sa montre indiqua dix heures, il réussit tout de même à considérer mentalement qu'il serait en retard au travail. Il appela une secrétaire pour annoncer qu'un ennui le retardait, rien de grave avait-elle demandé, et il avait pouffé. Comment quelque chose de grave pouvait-il lui arriver à lui ? Il se lava assez peu méthodiquement, et s'habilla dans un style flou. Son attaché-case en main, il s'apprêta à partir. Mais soudain, pris d'un malaise émotionnel, il voulut emporter quelque chose de sa femme. N'importe quoi, une culotte, un cheveu traînant dans la salle de bains (il en avait repéré un quelques minutes plus tôt, et cela avait représenté à ses yeux un vestige inestimable, une preuve du bonheur ; il serait capable de tuer quiconque tenterait de passer

le moindre coup de balai dans cette salle de bains...),
et, finalement, il opta pour une photo. Oui, c'était
bien, une photo. Il pourrait la poser sur son bureau
comme ces hommes heureux qui vous envoient leur
bonheur à la figure. Dans un tiroir rarement ouvert, il
trouva une photo de Claire.

Jean-Jacques se dirigeait vers sa voiture quand son
regard fut happé par quelque chose qu'il n'avait,
jusqu'ici, jamais remarqué : les néons fatigués de
l'agence Dubrove. C'était trop étrange. Comment
n'avait-il pas repéré cette agence ? Le monde extérieur variait-il en fonction de notre monde intérieur ?
Un souvenir fugace lui traversa l'esprit : pendant les
préparatifs de son mariage, il avait eu l'impression
que Paris était rempli de boutiques de mariage ; les
robes blanches avaient envahi les rues. Sans la moindre hésitation, il monta dans les bureaux. Une secrétaire le fit patienter. Dominique Dubrove n'aimait
pas trop recevoir des clients le matin car il devait,
selon son rituel, allumer un cigare. Heureusement,
Jean-Jacques, en entrant dans le bureau, avoua que
la fumée le dérangeait. Il écrasa le cigare avec un
grand sourire ; sourire qu'il rangea aussitôt vu la tête
de son client. Il prit sa voix de circonstance, un
mélange de pompeux dramatique et d'emphase amé-
ricaine :

« Qu'est-ce qui vous amène ?

— J'aimerais que vous retrouviez ma femme.

— Quelqu'un l'a enlevée ? s'enflamma Dubrove.

— Non, elle m'a quitté. Elle est partie...

— Ah oui, je vois. »

Dubrove hocha la tête ; c'était un cas classique. Il
tendit le classeur des enquêteurs à Jean-Jacques :

« Voici nos détectives. Avec leur tarif. »

Jean-Jacques survola le classeur. Comment pouvait-il imaginer qu'au moment où son regard se posa furtivement sur le visage d'Igor, celui-ci était précisément en train d'embrasser sa femme ? Il énonça :

« Je vais prendre le plus cher. J'imagine que c'est le plus compétent ?

— Oui, tout à fait, s'excita Dubrove. Ibàn est notre meilleur détective. Vous serez content de lui. Il est basque. En fait, c'est mon neveu. Ma sœur s'est mariée avec un Basque… »

Puis, comprenant, au regard de son client, que cette digression n'était pas des plus opportunes, il enchaîna :

« Vous avez une photo de votre femme ? »

Jean-Jacques fut surpris. C'était la première fois qu'il emportait avec lui une photo de sa femme, et voilà qu'on la lui demandait quelques minutes plus tard.

« Heu… vous avez une photo ? lui redemanda Dubrove.

— … Oui… Pardon. »

Il tendit la photo d'une manière hypnotique, comme s'il était en plein rite vaudou. Dubrove manqua de s'étouffer. En grand professionnel, pour ne rien laisser transparaître, il mit ce début d'étouffement sur le dos du cigare. Mais, une fois les mots sortis de sa bouche, il se souvint qu'il ne fumait pas.

VII

Claire avait fait en sorte de ne pas trop s'inquiéter pour sa mère. Il n'y avait rien de grave à dérailler de temps à autre, se rassurait-elle ; avec l'âge, il était fréquent que la raison s'émiette. Renée dut toutefois faire des examens. À l'hôpital de Sèvres, elle fut très bien accueillie. René avait encore de nombreux contacts dans le lieu de ses gloires passées. Depuis les incertitudes mentales de sa femme, il semblait être un tout autre homme. Il avait développé une vraie douceur, devenant ainsi l'ombre de ce qu'il avait été. On aurait dit qu'il était prêt à tout faire pour qu'elle guérisse. Peut-être avait-il peur de mourir si sa femme mourait ? Peur de se retrouver juste après en première ligne, sur le devant des tranchées.

Les médecins ne repérèrent rien de grave et mirent les quelques errances psychiques de Renée sur le compte du surmenage. On évoqua l'incroyable capacité des retraités à s'épuiser par l'entreprise du rien. C'était tout juste si on ne considéra pas Renée comme une adolescente cherchant à faire son intéressante. Seulement, ces mêmes médecins furent forcés de revenir sur leur première impression quand, deux jours après les examens, Renée fut retrouvée en train de faire la manche au bord de la route.

« Je peux aussi vous laver les vitres si vous voulez… », tentait-elle devant les automobilistes effarés.

Une fois de retour chez elle, Renée avait tout oublié de son escapade. Elle avait été traversée par une vie parallèle ; son esprit, à tout moment, pouvait se dissiper dans une digression. Ainsi, on la retrouva en robe de chambre au supermarché, guettant sa fille à la sortie de l'école ou achetant une guitare électrique. René, totalement désespéré par ces météorites comportementales, n'eut d'autre choix que d'accompagner à nouveau sa femme à l'hôpital. Entourée de plusieurs médecins, Renée tenta en vain de se souvenir de ce qu'elle avait fait. On chuchota le nom d'Alzheimer, mais très vite on conclut que la patiente était atteinte d'un mal plus rare.

Pour soigner un mal, il faut être capable de le désigner. Plusieurs internes s'attelèrent à la recherche de cette maladie. Enfin, l'un d'entre eux s'excita :

« C'est le syndrome du neurone voyageur ! »

Il fut l'objet de tous les regards, ce qui lui permit d'entamer – non sans une certaine fierté, avec un petit sanglot dans la voix, surtout en pensant à la façon dont il relaterait à sa mère son premier moment de gloire professionnelle – le récit de sa découverte. Ce syndrome avait été découvert par deux docteurs polonais, les frères Wajniski[1], il y a une vingtaine d'années. Ils avaient repéré des cas identiques chez plusieurs patients. Tout comme Renée, les malades atteints de ce syndrome enchaînaient les actes les plus incohérents à cause du voyage momentané d'un neurone.

---

1. On ne savait presque rien sur ces docteurs. La seule information dont on disposait était qu'ils se promenaient depuis des années avec un billet d'avion Varsovie-Stockholm toujours en poche, en attendant que le prix Nobel leur soit attribué.

« Passionnant, soupira le responsable du service de neurologie. Et que peut-on faire pour empêcher ce neurone de voyager ? Lui retirer son passeport ? »

Comme il était le chef de service, il y eut quelques rires diplomates. L'interne reprit son rapport :

« Ah... oui... très drôle... enfin... c'est là que les choses se compliquent, car les neurones n'en font souvent qu'à leur tête. Selon le rapport des frères Wajniski, la seule solution est de faire comprendre au neurone nomade que jamais il ne sera aussi bien que chez lui.

— Ça devient compliqué tout ça...

— Pas vraiment... leur idée pour permettre ce confort est vraiment brillante... poétique même...

— Bon, vous nous dites de quoi il s'agit !

— C'est très simple. Les neurones sont comme les humains. Seul l'amour leur permet de rester chez eux. Ainsi, pour éradiquer ce mal, il faut greffer dans le cerveau de la patiente un neurone suffisamment séduisant pour que le neurone voyageur n'ait plus jamais envie de quitter le domicile conjugal.

— Un neurone séduisant ? », répéta le chef en se grattant le menton.

Quelques minutes plus tard, il annonça à Renée qu'il allait devoir l'hospitaliser. Son mari faillit tomber dans les pommes. Dans ces conditions, il semblait préférable de ne pas expliquer tout de suite la nature des opérations à venir.

VIII

La douleur de Jean-Jacques était bien réelle. Il aimait Claire. Sa vie n'était plus qu'un Genève perdu. Il oubliait tous les défauts de sa femme, il mythifiait ce qu'il avait perdu. Le bonheur n'avait jamais été à l'horizon. À l'horizontale sûrement, mais certainement pas à l'horizon. Il se souvenait du dos de sa femme, et des plis de sa chair dans lesquels il voulait couler ses jours. À partir de maintenant, il ne cesserait d'alterner des moments de pure folie, des moments de désespoir, et des moments où il serait plus calme. Autrement dit, il ne cesserait d'alterner des moments où il penserait retrouver Claire (Genève), et des moments où il sentait l'avoir perdue à tout jamais (Toulon).

Sonia avait maintenant disparu de son esprit. Plusieurs fois, il ne la rejoignit pas à l'hôtel alors qu'elle l'attendait. Quand elle lui faisait des reproches, il répétait d'une manière mécanique que la vie n'était pas un long fleuve tranquille. Focalisé sur ce qu'il vivait, il n'avait aucune conscience de la souffrance de Sonia. Blessée par ce changement d'attitude, elle se dirigea un jour vers son bureau pour mettre les choses au point. Elle l'interrogea :

« Pourquoi me fuis-tu ? »

Jean-Jacques la regarda comme une apparition de la Vierge.

« Je... je...

— À quoi rime notre histoire ? Tu peux me le dire ? Franchement, je ne te comprends plus. On se voit tous les soirs... et puis d'un coup tu pars en pleine nuit, et je ne te vois plus. Est-ce que j'ai fait quelque chose ?

— ...

— Mais parle ! » hurla-t-elle, tuant ainsi des mois de relation ultra-discrète.

Ce cri réveilla Jean-Jacques. Il sortit de sa torpeur :

« Oui, excuse-moi, Sonia... J'ai été si lâche... Ça fait longtemps que j'aurais dû te parler...

— ...

— J'aime Claire... c'est tout ce que je peux te dire... J'aime Claire, et j'ai peur de l'avoir perdue...

— Pourquoi tu ne m'as rien dit ?

— Mais je ne pouvais pas. Et puis, je ne le savais pas.

— Tu me fais de la peine... »

Sonia se mit à sourire, puis souffla :

« Pourquoi est-ce que je tombe toujours amoureuse de mecs comme toi ? Ils n'ont rien pour eux, et je leur donne tout. »

Sur ce, elle quitta le bureau ; toujours avec son sourire. Et puis au bout de quelques mètres, son sourire se transforma en larmes. Elle lui en voulait tellement. Son attitude avait été si minable. Il s'était détourné d'elle d'une manière brutale. Alors, elle fit demi-tour, entra à nouveau dans le bureau, et gifla Jean-Jacques de toutes ses forces.

Une fois seul, il toucha la joue attaquée. Il sortit un miroir disposé dans un tiroir et contempla la main de Sonia sur son visage. C'était comme une trace qu'elle lui laissait. Il regardait encore et encore cette main, il attendait qu'elle s'efface, que la trace s'estompe complètement, afin de prouver leur fin. Cette main qu'il avait tant aimée, cette main qui avait caressé son corps, et qui l'avait fait jouir ; eh bien voilà que cette main le quittait avec minutie, dans le crescendo d'une douleur faiblissante. Quelques pigments de rouge, et puis la marque devint rosée, comme un nuage du soir. C'était fini.

*
* *

C'était fini, mais nous reverrons Sonia encore trois fois. Et, pour tout dire, la troisième fois, ce sera dans plus de trente ans.

*
* *

Sa rupture avec Sonia le plongeait dans la plus absurde des vacuités. Il se demandait si tout ça n'avait pas été rêvé au nom de la sensualité. C'est vrai qu'il avait été ravagé par elle, et par sa phrase sur les sept ans de bonheur. Mais aurait-il été autant ravagé par cette phrase si elle l'avait prononcée en col roulé ? Elle était nue, ce jour-là. Et les mots d'une femme nue sont toujours plus intéressants. Il s'interrogeait sur ses derniers mois, et il se demandait vraiment à quoi tout cela avait servi. Le corps de Sonia lui paraissait déjà loin, le délaissant dans un souvenir vague, un souvenir où l'on ne pourrait se procurer pour le futur de quoi fantasmer. S'il cherchait un jour à se masturber en pensant à elle, il se retrouverait face à une paroi lisse. En fermant les yeux, il tenterait de se laisser guider au son de sa voix, mais nécessairement il aurait besoin d'autres femmes pour parvenir au sommet. Il ne lui resterait rien, on vivait pour rien.

Jean-Jacques regardait ses veines, et n'en revenait pas de constater à quel point la mort était possible. Il suffisait de trancher, la peau humaine était tendre, comme un appel au découpage. Il repensait à ses parents dans ces moments difficiles. Leur mort avait été trop soudaine, un choc dont la rapidité avait empêché toute digestion. Surtout, ce manque total de racines aggravait son flottement ; il était persuadé qu'il n'était pas un homme comme les autres face à la situation qu'il vivait ; son déclin était celui d'un homme sans parents ; d'un homme ayant dû quitter brutalement l'enfance. Le soir, quand il rentrait chez lui, il embrassait sa fille, et discutait avec elle, mais jamais très longtemps. Il n'allumait plus la télévision. Il contemplait Caroline, soulagé de voir à quel point elle s'occupait parfaitement de Louise. Toutes les choses les plus simples, comme faire réchauffer un plat au micro-ondes, lui paraissaient des entreprises périlleuses que seule cette jeune fille était capable d'accomplir avec grâce. La vie normale lui semblait impossible.

Caroline l'observait. Jean-Jacques repérait dans son regard un soupçon de mépris. À son âge, elle ne pouvait pas comprendre l'ampleur du poids l'écrasant. Elle ne voyait qu'un homme obsédé par le sexe et qui se mordait les doigts maintenant que sa femme était partie ; et, pire que tout, il était incapable d'assumer quoi que ce soit, et végétait comme un minable sur un canapé. Son jugement était rude, mais elle n'avait pas tout à fait tort. Seulement, elle ne pouvait savoir ce qu'est la vie de couple après plusieurs années. Les principes fondent à mesure que s'espacent les rapports sexuels. Elle comprendrait plus tard qu'être partagé entre une vie familiale et une vie où l'on s'épanouirait davantage sexuellement était un choix aussi cliché que déprimant. Le genre de choix qui vous écrase dans un canapé. Dans vingt ans, elle tromperait son mari puisque son mari ne la toucherait plus depuis des décennies ; et elle tenterait de comparer les prix pour acheter le meilleur canapé possible.

Caroline était blonde. Elle avait du soleil dans la voix, mais souvent c'était nuageux. Un soleil près des montagnes. Sûrement le genre de femme qui susciterait sans trop savoir pourquoi des passions folles. Le genre de femme qui pourrait faire la morte si elle était trop vivante dans le cœur d'un homme. Tout ça, il était prématuré d'en parler, puisque, à dix-neuf ans, son caractère n'était pas encore dessiné. Concentrons-nous plutôt sur une chose importante qui n'a pas encore été dite sur Caroline. Au lieu de l'énoncer simplement, il serait préférable d'évoquer la situation qui avait conduit Jean-Jacques à une révélation. La scène avait eu lieu juste après qu'il eut raccroché le téléphone. Il venait de s'entretenir avec Ibàn, et ce dernier l'informait des derniers rebondissements de son enquête. Il n'avait pas encore de piste sérieuse concernant l'emploi du temps de Claire. Jean-Jacques était abattu. Après avoir raccroché, il se servit un verre de bourbon. Sa fille était couchée, et Caroline débarrassait lentement la table. En se penchant, elle offrit son fessier au regard perturbé de Jean-Jacques. Ses yeux la suivirent quand elle retourna dans la cuisine, ne manquant rien de ce mouvement féminin qui, dans les vapeurs mêlées de l'alcool et de la dépression, devenait un mouvement d'ange. Au-delà de sa fraîcheur et de sa beauté, il avait aimé quelque chose en elle de suffisamment subtil pour ne pas pouvoir le définir instantanément. Ses mollets, peut-être. Ses étranges oreilles, sûrement. Ou alors s'agissait-il de quelque chose qu'il avait aimé précédemment et qui se révélait maintenant, au moment où sa conscience vacillait ? Quelque chose d'enfoui qu'il avait déjà repéré chez Caroline, et qui renaissait maintenant dans un nouvel émerveillement.

Alors que Caroline était à la cuisine, lavant les vitres peut-être, lavant la vaisselle plus sûrement, Jean-Jacques se permit de l'appeler pour lui poser une question. Elle apparut dans le coin de la porte, plus tout à fait dans la cuisine, mais ne pénétrant pas complètement dans le salon. L'indécision corporelle entre les pièces, voilà ce qui n'avait pas encore été dit sur Caroline. Et Jean-Jacques ne put faire autrement que de considérer qu'elle avait un rapport érotique aux portes.

IX

Claire aussi vacillait entre les ambiances. On pouvait autant la trouver dans un bonheur euphorique, sensuel, que dans des moments de pure angoisse où sa fille lui manquait. Ce que ni Jean-Jacques ni Claire ne savaient, c'est qu'ils restaient unis dans leurs balancements d'humeur. Déprimés en même temps, soulagés en même temps, ils vivaient leur séparation dans un rythme de couple.

La situation délicate qu'elle vivait étant parfois nerveusement épuisante, Claire avait besoin de repos. Igor et elle sortaient peu, restant même le soir à regarder la télévision, des émissions stupides qui vident la tête, des émissions que, d'ordinaire, un couple nouvellement formé ne peut se permettre d'avouer vouloir voir. Leur simplicité (et surtout les conditions de leur rencontre) balayait les mois où la séduction nous pousse à paraître plus qu'à être. Cette période où l'on s'oblige à aller voir des expositions sans intérêt, à écouter des amis qui nous ennuient, à manger dans des restaurants qui ne sont même pas italiens (on doit faire semblant de s'extasier sur l'exotisme), ils ne la connaîtraient jamais.

Depuis l'évocation des *Ailes du désir*, Igor voulait aller à Berlin avec Claire. Il avait opté pour un voyage en avion. Il était persuadé que la meilleure chose pour lutter contre la peur en avion était de voyager avec quelqu'un qui avait tout aussi peur que soi. L'attention qu'on peut porter à l'autre, nos tentatives pour le réconforter atténuent notre propre peur. Il espérait de tout cœur qu'elle accepterait ce voyage de trois jours. Il lui avait donné rendez-vous dans un café et, comme à son habitude, il était arrivé en avance. Il voulait toujours la voir entrer. Il vénérait plus que tout ce moment où elle le cherchait du regard. Ce moment où il la voyait sans qu'elle le voie encore. C'est précisément à ce moment-là qu'on sait ce que l'autre pense de nous. Igor fut soulagé car il perçut dans le regard de Claire, à la seconde où elle le vit, son désir. Elle se fraya rapidement un chemin pour le rejoindre. Les gens parlaient, les gens fumaient. Elle embrassa Igor sur le front, et le baiser fut terriblement rapide :

« Pardonne-moi, je dois aller aux toilettes. »

Igor lui sourit ; même ces mots, il les aimait.

Quelques secondes plus tard, Igor fut surpris de voir son cousin Ibàn débarquer dans le café. C'était un étrange hasard. Il fit un signe de la main. Ibàn parut gêné, mais ce fut très bref. Il rejoignit Igor, tout en continuant à pivoter légèrement le cou, effectuant des rotations infimes que seul un professionnel de la filature comme Igor pouvait discerner. Ils s'embrassèrent.

« Comment ça va ? demanda Igor.

— Écoute, ça va... Je suis en plein boulot, là...

— Oui, j'ai vu. Assieds-toi, tu ne seras pas repéré avec nous.

— Oui, c'est vrai... Mais je dois rester vigilant... J'ai eu beaucoup de mal à repérer cette femme...

— C'est qui ?

— C'est une femme en fuite. Et en plus, je te raconte pas, j'ai le mari qui m'appelle tout le temps. »

Claire sortit des toilettes. Elle avança d'un pas pressé vers la table d'Igor. Ibàn la repéra, ce qui, dans un premier temps, le soulagea. Il n'avait pas perdu la trace de cette femme coriace. Mais le soulagement fut éphémère. Claire approchait de sa table, sans le moindre doute, sans la moindre hésitation dans le pas, elle progressait vers lui. « Je suis repéré », pensa-t-il. Et à l'instar de ceux qui voient défiler leur vie en mourant, il se remémora en un éclair toutes ces années glorieuses de filature, et ne put faire autrement que de considérer ce premier échec comme le début d'un déclin. Une partie de lui allait mourir. Il tenta néanmoins, on ne savait jamais, de s'enfoncer dans son siège, ce qu'il fit avec un art appréciable du tassement de vertèbres. Mais ce fut trop tard. Claire le regarda droit dans les yeux. Ibàn balbutia quelque chose d'inaudible. Igor le coupa :

« Claire, je te présente mon cousin Ibàn. »

Subitement, Ibàn se redressa. Et tendit sa main droite pour serrer la main de Claire. Il la contempla avec des yeux effarés. Ibàn connaissait chaque détail de son visage, et sa bouche demeura entre parenthèses. Igor considéra l'émotion de son cousin comme la pure manifestation d'un trouble face à la beauté. Il ne put refréner une certaine fierté. Et puis, c'était la première fois que quelqu'un de sa connaissance le voyait en compagnie de Claire. Subitement, elle avoua :

« C'est étrange, mais j'ai l'impression de vous avoir déjà vu quelque part »

— Tu as sûrement dû le voir dans le catalogue de Dubrove, fit Igor. Ibàn est aussi détective.

— Ah oui. Ça doit être ça !

— D'ailleurs, il est actuellement en filature, enchaîna Igor.

— Ah bon ? s'illumina Claire. J'ai toujours été fascinée par votre métier. Vous pourriez nous dire qui vous suivez ? Je vous promets qu'on sera discrets *(elle déposa son doigt sur sa bouche)*.

— Je... Heu...

— Allez, dis-nous, s'excita Igor. Si tu veux, je te donne un coup de main.

— Je...

— Secret professionnel, c'est ça ?

— ...

— Il suit une femme.

— Ah les femmes, c'est ce qu'il y a de plus dur à suivre *(en énonçant cette phrase, Claire balayait du regard le café, à la recherche de cette femme suivie)*.

— Oui, confirma Igor. Les femmes ont toujours un je-ne-sais-quoi de pressé. Elles s'engouffrent dans les rues et les immeubles, et nous les perdons si facilement... Et j'ai remarqué que souvent, cela allait de pair avec la beauté : plus les femmes sont belles, plus on les perd facilement. Tu n'as pas remarqué ça, toi, Ibàn ?

— ...

— Elle est comment la femme que tu suis ? »

Ibàn regarda Claire, droit dans le fond des yeux. Et se leva précipitamment pour sortir. Igor loua son grand professionnalisme. Son cousin était le genre à rompre toute discussion, à humilier sur-le-champ toute inutilité sociale si l'enquête devait se poursuivre. Claire n'avait pas paru convaincue, et avait trouvé bien étrange cette fuite absurde et, surtout, si peu discrète. « Je crois qu'on l'a gêné avec nos questions », pensa-t-elle. Peut-être était-il aussi timide que son cousin ?

La chose lui parut peu probable. Les timides ne vous regardent pas avec un tel effroi. On eût dit à ce moment précis que c'était Ibàn, le cousin russe. Ce regard si pénétrant, si doux et si violent à la fois, était une Russie dans l'œil.

Une fois dehors, Ibàn rumina sa rage. Il appela aussitôt Dubrove pour organiser une réunion au sommet et tirer au clair cette étrangeté. Il se sentait très mal ; non pas parce qu'il avait déployé beaucoup d'énergie pour une enquête qui aurait pu prendre deux minutes (il aurait fallu pour cela que Dubrove lui dise qu'Igor connaissait la femme de la photo), mais parce qu'il ne comprenait pas toute la situation. Que faisait-elle avec son cousin ? Qui s'était ainsi moqué de lui ? Il s'était passé quelque chose d'étrange dans sa tête pendant toute son enquête. Jamais auparavant il n'avait éprouvé ce type de sentiment. Et voilà que tout se fracassait maintenant sur une mascarade. Pendant ses errances, il était allé à Roissy, et avait retrouvé des collègues de Claire. Comme tout enquêteur, il était entré dans la vie de cette inconnue ; c'était le charme de son métier ; mais c'était aussi son précipice. Dans un premier temps, il avait cru éprouver de l'affection pour elle. Et puis, cela avait fait place à de l'inquiétude. Il savait qu'elle donnait des nouvelles à sa fille, mais quitter son foyer était d'une grande brutalité. Sûrement ressentait-il alors de la compassion pour cette femme traversant un moment de vie terrible ? Son agressivité à venir viendrait sûrement de là aussi ; du décalage entre ce qu'il avait imaginé et la découverte de cette femme épanouie.

Igor dut s'excuser auprès de Claire. Dubrove venait de lui envoyer un message urgent : il était convoqué pour une réunion immédiate. Il l'embrassa sur le front, et effleura avec émotion les billets d'avion, comme s'il s'agissait de la chevelure de ses futurs enfants. Il trouvait que la vie était formidable. Il aimait la plus belle femme du monde, ils allaient partir à Berlin, et voilà maintenant qu'il avait des urgences professionnelles. C'était le triptyque d'une vie mythique. Dans le taxi qui le conduisait à l'agence, il se gargarisait de ce morceau de son existence. Il voulait parler au chauffeur, faire de l'humour, avoir de l'esprit comme rarement il avait été capable d'en avoir. Le chauffeur râlait, maudissait les autres voitures, et la vie en général. Ils formaient un drôle de duo dans cette voiture ; deux pôles de l'humeur humaine. Le chauffeur se laissa aller à quelques propos racistes ; des propos qui firent sourire Igor ; des propos qui, en d'autres temps, l'auraient fait sortir de ses gonds. Tout coulait sur lui. Claire avait transformé sa vie en une surface lisse, une surface où toutes les porosités de la bêtise passaient sans même le gratter. Le bonheur nous rend tolérants ; ou, plutôt, insensibles aux intolérances des autres.

*
* *

Claire fut très heureuse à l'idée de ce voyage à Berlin ; même si son bonheur lui faisait un peu peur ; même si ce voyage voulait dire beaucoup de choses ; voulait dire qu'elle mettait un pied dans une autre vie ; voulait dire qu'il ne lui restait pas grand-chose, en termes de résistance, pour ne plus jamais revenir en arrière.

*
* *

En entrant dans le bureau de Dubrove, Igor fut surpris de revoir son cousin. Et encore plus surpris d'apprendre que la réunion ne se déroulerait qu'entre eux trois. C'était leur Yalta. Ibàn tournait comme un lion dans une cage qui tourne et s'écria :

« C'est quoi ce bordel ? Je m'acharne pour trouver une femme. Je parcours des rues en tous sens, j'interroge et je m'interroge… Et, après des jours d'efforts, voilà que je la découvre toute tranquille en train de roucouler avec mon cousin. Non mais franchement, c'est quoi ce bordel ?

— Quoi ? enchaîna Igor. Tu recherches Claire ? C'est quoi ce bordel ? »

Les deux bordels réunis, l'attention se porta sur Dubrove. Quelques grosses gouttes de sueur l'encerclèrent, des gouttes prêtes à ruisseler dans les replis de son visage. Il s'expliqua en s'épongeant. Igor apprit que Jean-Jacques recherchait sa femme. Et Ibàn apprit que cette femme avait donc été une cliente avant d'être une photo. Enfin, Igor avoua qu'il avait une relation amoureuse avec cette femme qui était devenue pour lui bien plus qu'une cliente, et bien plus qu'une photo.

Ibàn s'énerva en direction de Dubrove :

« Ce que je ne comprends pas c'est pourquoi tu ne m'as rien dit ? J'aurais été bien plus vite, si j'étais allé voir Igor pour lui demander ce qu'il savait sur cette femme ! »

Et c'est à ce moment précis que Dubrove sortit cette phrase qui le caractérisait entièrement. Cette phrase dont il est impossible de savoir si elle relevait de la bêtise pure ou de l'exigence à vénérer.

« Secret professionnel. J'ai voulu conserver le secret professionnel. »

Ses neveux le regardèrent avec effarement, surtout Ibàn qui était au bord de l'apoplexie.

« Tu veux me dire que tu t'es fait à toi-même un secret professionnel ? Tu t'es autosecrété ?

— …

— Tu veux dire que tu m'as confié une enquête, sans me révéler ce que tu savais, au nom du secret professionnel… Notre but, c'est d'être compétents quand même ?

— …

— Je n'en reviens pas. Je n'ai jamais vu un truc pareil. »

Ibàn s'effondra sur le canapé. Rarement, il s'était autant investi dans une enquête[1]. Il expliqua à son oncle que c'était une honte de traiter ainsi un client, qu'on n'avait pas le droit de jouer avec la détresse des hommes délaissés par leur femme. Dubrove tenta de bégayer quelque chose. Lui qui restait toute la journée à fumer des cigares, et à espérer qu'une belle femme entre dans son bureau, pendant que sa famille traquait la ville, oui, il avait honte :

« Pardonne-moi. Mais comment voulais-tu que je fasse ? C'était une situation absurde. Il me semblait que nous n'avions pas le droit d'utiliser ce qu'on savait déjà sur elle… Pardonne-moi, Ibàn… Je t'offre des vacances ! Oui, prends tes vacances… Et pour Igor, je te jure que je ne savais pas ! »

Ce fut au tour d'Igor d'être la cible des regards. Dans l'excitation générale, on avait oublié un aspect primordial de cette affaire : Igor avait une liaison avec une femme. C'était peut-être ça, le sujet de cette réunion au sommet. Sentant l'obligation de s'exprimer, Igor expliqua simplement ce qui s'était passé entre Claire et lui, à quel point il avait changé, à quel point il n'était

---

1. Cette détermination aura d'ailleurs une influence décisive sur la suite de l'histoire (le Basque se fait rare dans la littérature, mais prend très vite ses aises quand il est invité).

plus timide. Dans un élan rêveur, Dubrove et Ibàn imaginèrent les secrets d'une femme capable de terrasser un monstre de timidité. Toujours remonté, Ibàn enchaîna :

« Mais ce n'est pas possible. Tu ne peux pas faire ça ! C'est contraire à tout...

— Quoi ? s'inquiéta Igor.

— Tu ne connais pas la larve que j'ai comme client. Tu ne peux pas lui faire ça... Tu ne peux pas briser un couple !

— Mais je ne brise rien du tout !

— Si, tu brises un couple ! C'est honteux ! Avec une petite fille en plus, tu me dégoûtes.

— Je l'aime. Et elle aussi, je crois.

— Rien du tout. C'est du pur égoïsme. Ils ont une petite fille, je te dis.

— Je n'y peux rien. Je ne la force en rien.

— Si ! tu la forces. Je t'imagine très bien. Tu fais ton Russe cinéphile, et voilà... Je suis sûr que tu vas l'emmener en voyage, un truc romantico-intellectuel, genre Vienne...

— Berlin...

— Pire que tout ! Berlin, ne me dis pas que tu l'emmènes à Berlin.

— Si. Et alors ?

— Je parie qu'il y a un rapport avec *Les Ailes du désir*.

— Comment le sais-tu ?

— Je le sais, parce que tout cela est typique. Vous jouez à un truc qui n'est pas vrai. Vous vous mentez, et tu oublies qu'elle brise un couple.

— Arrête ! Ce n'est pas ma responsabilité.

— Ça y est, tu te dégages de ta responsabilité !

— Elle te plaît, Claire, ou quoi ?

— Non… Je préfère tout arrêter là. Regarde bien ses yeux quand tu lui annonceras que son mari a engagé un détective privé pour la rechercher.

— Tu es étrange, Ibàn.

— Je suis étrange, peut-être, mais regarde ses yeux.

— C'est comme si tu ne voulais pas mon bonheur. Comme si l'idée que je puisse être heureux te déplaise.

— Je te jure que ce n'est pas ça. Ce qui me déplaît, c'est la certitude que tout cela est éphémère. Que tu viendras me voir pour me le confirmer dès ton retour. Et qu'il sera peut-être trop tard.

— Tu es fou. Tu es fou, parce qu'elle te plaît.

— …

— Elle te plaît ?

— …

— Elle te plaît ?

— …

— Elle te plaît ?

— Je ne sais pas. »

Jamais l'agence n'avait été le théâtre d'un tel échange verbal. La confusion régnait. Ibàn, en partant, annonça :

« Je vais appeler mon client pour qu'il prenne rendez-vous avec toi.

— Mais qu'est-ce que je vais lui dire ? s'inquiéta Dubrove.

— Tu te débrouilles, c'est toi le patron… »

Après un temps, Ibàn avait ajouté :

« T'as qu'à lui dire qu'elle apprend le russe !

— Très drôle », ne rit pas Igor.

Les cousins sortirent. Dubrove s'épongea les tempes. Il ne savait que faire. Mais, très vite, une action s'imposa à lui ; une action importante et qui, après une telle agitation, allait le mettre en joie. C'était sa façon de voir toujours le bon côté des choses, la partie heureuse des drames. Au vu de ce qu'il avait entendu, il alla chercher dans le tiroir de son bureau le cahier des enquêteurs. Et il augmenta les tarifs d'Igor.

X

Depuis l'excitation verbale d'Édouard sur le couple, Jean-Jacques ne voulait plus se confier à lui. Ibàn, lors de leurs conversations, avait lentement pris le rôle du confident. Même si celui-ci ne trouvait pas les mots pour le réconforter, l'échange aidait Jean-Jacques à surmonter certaines soirées. Il parlait alors de Claire, élaborant son mythe. Ce soir-là, pour la première fois, Ibàn lui donna des nouvelles :

« Jean-Jacques... Je voulais que vous sachiez que j'ai apprécié nos conversations. Je trouve que vous êtes un homme respectable.

— Pourquoi me dites-vous ça ?

— Parce que c'est notre dernière conversation.

— Vous arrêtez l'enquête ?

— Oui, je dois partir en voyage. Je ne peux pas vous en dire plus. Dubrove vous donnera plus d'informations.

— Attendez ! Vous avez des nouvelles ?

— Je dois vous laisser.

— Mais... »

Jean-Jacques écouta les bips avec attention ; son interlocuteur avait raccroché. Ce n'était qu'un petit con. Comment pouvait-il lui faire un coup pareil ? Le laisser ainsi dans l'incertitude. Et puis, il se souvint des moments où il l'avait écouté : Ibàn n'était certainement pas un petit con. Il devait avoir ses raisons. Toute la nuit, Jean-Jacques tourna en rond. Au fond de lui, il savait très bien qu'Ibàn lui avait dit, à sa façon, que Claire était avec un autre homme. Que leur histoire était finie. Il s'imaginait alors, le lendemain, dans le bureau enfumé de Dubrove, en train de contempler les clichés de sa femme embrassant un autre homme. Dans son esprit, Claire embrassait un moustachu. Quitte à être répugnante, cette photo devait être touffue. Bizarrement, cela l'avait calmé. Claire était avec un autre homme. Voilà, tout était fini. La vie était ainsi. Deux plus deux font quatre. Assis sur le lit, engourdi de pensées simples, Jean-Jacques voyait son avenir. C'était un avenir sans Claire. Il ne se sentait pas malheureux. Bien sûr, c'était une première étape qui correspondait uniquement au soulagement d'avoir une information. Peut-être que cet homme était quelqu'un de bien. Il imaginait déjà Dubrove lui parler, avec de l'émotion dans la voix, de ce qu'on savait sur cet homme. Ça devait être un artiste. Un subventionné pour qui la vie est facile. En tout cas, son travail n'aurait aucun rapport avec l'argent. On quitte uniquement pour changer. Il devait s'appeler Luc, un prénom court, un ramassis sans charme. Ou alors un écrivain. Non, pas un écrivain. C'est fini les écrivains. Un artiste prénommé Luc avec une moustache. Et dire que ce con s'occuperait de sa fille. Si ça se trouve, il avait déjà un enfant. Oui, ça devait être ça. C'était la mode en ce moment. Les médias aiment les familles recomposées. Louise allait jouer avec Marc. Il devait s'appeler Marc, son fils, à Luc. Louise allait rouler dans l'herbe avec Marc, tout comme Luc roulerait dans les draps avec Claire. Ça serait beau, cette roulade des recompositions.

Jean-Jacques s'allongea, tout étourdi par l'absorption d'alcool et l'évocation des roulades. Lentement, ses paupières se fermèrent, lentement, la nuit le recouvrit. Réveillé à l'aube, il se jeta sous la douche. Il laissa un mot à Caroline, évoquant une réunion très matinale, cause de sa fuite précipitée. C'était un homme bien, il laissait des mots, lui. Il disait toujours où il était, lui. Mais quelque part, ça ne servait à rien ; personne ne le recherchait vraiment. Jamais il ne pourrait imaginer que, peu de temps auparavant, sa femme avait engagé un détective pour le suivre ; certes, ça n'avait pas été le plus grandiose des détectives, mais, tout de même, ça lui ferait chaud au cœur de savoir que sa vie avait suscité une filature. Il entrait maintenant dans l'agence. On le fit patienter, plus longuement que la première fois. Et pour cause, Dubrove était totalement stressé. Il s'arrachait les cheveux qu'il n'avait pas. Pourquoi une telle histoire lui arrivait-il ? Il n'avait rien fait de mal, jamais. Il ne méritait pas ça. Ni lui ni personne. Être plongé dans les méandres d'un couple usé était sûrement une des pires choses pouvant arriver. En faisant attendre Jean-Jacques, il réfléchissait à ce qu'il allait dire ; la vie de ce couple en dépendrait ; ses mots seraient une guillotine maritale. C'était atroce à vivre, comme situation, pour un homme qui n'avait jamais eu la moindre décision à prendre dans sa vie, qui ne s'était jamais marié, qui avait toujours cédé à tout et à rien, qui ne vivait que dans une apparence absurde, et qui allait mourir dans les vestiges de sa lâcheté.

Ne supportant plus d'attendre, Jean-Jacques passa sur le corps de la secrétaire (elle apprécia cette expression), et pénétra dans le bureau de Dubrove.

« Mais vous n'avez aucun client !

— …

— Il s'appelle Luc, c'est ça ?

— …

— Il s'appelle Luc, et il a une moustache, c'est ça ?

— …

— Et son fils s'appelle Marc ! Je sais tout… »

Jean-Jacques s'effondra alors sur un petit canapé, heureusement placé. Il ne put s'empêcher de verser des larmes. Toute la nuit, il les avait retenues, comme un bavard retient un secret. Dubrove s'approcha de lui, et se mit à genoux. C'était étrange comme attitude, mais, subitement, comment dire, lui qui allait mourir dans les vestiges de sa lâcheté, eh bien, comme ça, face à la détresse d'un homme, il allait révéler une humanité inespérée. Rien n'est jamais perdu. On pouvait découvrir sa nature profonde devant les larmes des autres. N'importe quel autre jour de sa vie, il aurait confirmé les propos incohérents de son client. Il aurait même brodé quelques détails sordides sur ce Luc ; sûrement se serait-il transformé en stripteaseur toxicomane ? Mais, ce matin, la réalité était tout autre.

« Je vous sers une petite prune ? » proposa Dubrove, sans savoir que cette phrase rappelait au dépressif son passé d'homme stable. Finalement, il lui servit un café.

« Vous savez… vous vous trompez… Ce n'est pas du tout ce que vous croyez…

— …

— Je ne sais pas de quoi vous avez parlé. Je ne connais pas de Luc, en tout cas… Ni de Marc d'ailleurs… Ce sont bien les prénoms que vous avez employés ? Je ne sais pas si vous avez eu recours à une autre agence que la nôtre, mais en ce qui nous concerne, je peux vous assurer que nous n'avons jamais trouvé ni de Luc ni de Marc…

— …

« — Ça me fait plaisir de voir que vous reprenez des couleurs...

— ...

— Donc, en fait pour tout vous dire... heu... »

À ce moment précis, Dubrove se retrouva dans l'impasse. Si la première étape avait consisté à rassurer ce pauvre homme, que pouvait-il lui dire maintenant ? Le regard de Jean-Jacques avait repris vie, et le pressait. Il fallait parler, il fallait dire quelque chose. Et c'est alors qu'une réponse traversa son esprit à toute allure :

« Elle apprend le russe... oui, votre femme apprend le russe. »

XI

Le vol fut mouvementé, mais tous deux, embarqués dans leur nouvel héroïsme qui n'était qu'une annulation mutuelle de la peur, le supportèrent parfaitement. Les nuages noirs avaient alterné avec les nuages roses, en valse-hésitation météorologique. Claire espérait du soleil pour ces trois jours : elle avait lu dans les guides les pages sur des forêts et des lacs sublimes entourant Berlin, et propices aux flâneries. Igor, lui, espérait du mauvais temps, car il avait réservé un superbe hôtel, un cinq étoiles, dont le lit devait être le cœur. Quel que soit le pays, le monument principal à visiter était Claire ; c'était un sentiment à ne surtout pas considérer comme graveleux, il y avait dans cette désignation quelque chose relevant du religieux.

Claire se sentait troublée, pour la première fois, par une impression d'adultère. Même si elle s'estimait séparée de Jean-Jacques, l'idée de faire un voyage avec un autre homme lui paraissait nettement plus violente que de faire l'amour avec cet homme. Il était déposé dans l'idée du voyage toute la notion du couple. Les automatismes et les échos revenaient en elle avec précision ; le simple fait d'attendre avec les bagages dans le terminal pendant qu'Igor se renseignait sur le moyen de rejoindre le centre de la ville, lui rappelait exactement le même moment vécu dans de nombreuses villes avec Jean-Jacques. C'est le paradoxe du voyage dans un nouveau couple : on croit créer de la distance avec le passé, se séparer des traces, et pourtant rien n'est plus référentiel que nos attitudes en voyage. Igor ne savait pas que son enjeu était de démarquer ce voyage avec force, de le pousser dans une nouvelle mythologie. Il devait créer un nouveau Genève. Mais Genève, justement. Est-il possible d'avoir deux Genève dans une vie ?

Dans le taxi qui les menait à l'hôtel, tout près de Zoologischer Garten, Igor sentit bien la palpitation intérieure de Claire.

« Tu es heureuse ? » lui demanda-t-il.

Elle l'embrassa, et il considéra ce baiser comme une façon de ne pas répondre. Il se mit à paniquer, à remplir le silence de mots inutiles. Il évoqua l'hôtel et son prestige, alors que rien n'aurait fait plus plaisir à Claire que d'avoir la surprise de le découvrir au dernier moment.

Et quelle ne fut pas sa surprise.

L'hôtel, situé Augsburger Strasse, offrait au premier regard, avant même que l'on puisse découvrir son nom, un drapeau suisse.

C'était le Swissôtel.

Il y avait là quelque chose de burlesque. Claire se mit à rire, d'une manière forte, ostentatoire, si peu Claire. Igor ne savait comment réagir. Le costume du voyage à l'étranger se révélait un peu trop grand pour lui. Les concierges se jetèrent sur le couple pour s'occuper des bagages, créant une heureuse diversion. Ils montèrent dans un ascenseur de verre jusqu'au premier étage, où se trouvait la réception. C'était le premier beau moment en Allemagne, cette façon de s'élever, et d'apparaître aux yeux de tous, avec lenteur. Cet hôtel était somptueux. Igor n'aurait alors pas dû poser cette question :

« Pourquoi as-tu ri ?

— Rien... C'est juste la façon dont ils se sont précipités sur nous pour prendre les bagages. »

Dans sa confusion suisse, Claire avait brouillé la temporalité. Les concierges s'étaient précipités plusieurs secondes après son rire. La corrélation entre les deux faits était tout simplement impossible. Claire avait menti d'une manière grossière. L'ambiance, malgré tous les sourires, se dégraderait irrémédiablement à partir de maintenant. Claire ne pouvait faire autrement que de lire les signes ; Igor l'emmenait dans le seul hôtel suisse de Berlin. C'était comme si Genève venait s'incruster dans Berlin, comme si Jean-Jacques n'autorisait pas ce voyage. Pour la première fois depuis longtemps, elle pensa à son mari avec émotion.

Pendant qu'Igor prenait les clés de la chambre, Claire eut l'impression que, dans le hall, plusieurs hommes la regardaient. En tout cas, en ce qui concernait le serveur du bar, c'était évident. Claire pensa qu'elle était belle. Et puis Claire comprit que les hommes la regardaient parce qu'ils voyaient en elle une femme libre, une femme qui n'était pas amoureuse. Elle se précipita alors dans les bras d'Igor, comme pour prouver à tous que c'était faux, comme pour se prouver à elle-même qu'elle n'était pas là par hasard. Igor fut soulagé, sans pouvoir se douter un seul instant qu'il n'était en rien responsable d'une telle pulsion. Son soulagement fut de courte durée : on annonçait un temps radieux. À la réception, on lui avait même dit :

« Vous avez de la chance. C'est très rare d'avoir un temps comme celui-ci à cette saison. »

Igor était resté sans voix. Comment un employé d'hôtellerie, avec sa longue expérience de la clientèle, pouvait-il dire, droit dans les yeux, à un homme accompagné d'une belle femme qu'il avait de la chance d'avoir du soleil ? Cet homme ne le prenait pas au sérieux. Sans être paranoïaque, Igor percevait les regards rieurs et moqueurs de certains hommes ; sûrement était-ce de la jalousie ? Ou alors, était-ce lui ? En ne se sentant pas à la hauteur d'un tel voyage peut-être qu'il dégageait, malgré lui, une faiblesse risible. Son envie de bien faire, sa délicatesse désordonnée, tout était perceptible, et tout transpirait le manque d'expérience. Être avec une belle femme ne s'improvise pas. Pourtant, Igor avait vécu assez d'années dans la mélancolie pour parvenir à cette nonchalance qui rend évidente une autorité amoureuse. Fallait-il croire que ce n'était pas suffisant ? À vrai dire, Igor le sentait bien ; ce qui n'était pas suffisant, c'était le désir de Claire. Même le plus grand des acteurs, jouant dans la plus belle des pièces, ne pouvait rien faire si sa partenaire récitait sans âme son texte.

Les choses n'étaient évidemment pas si simples. Et leur première promenade, tout comme leur voyage, fut ponctuée d'éclairs de tendresse. Il y avait une atmosphère de frontière ; le plaisir, leur histoire, tout était au bord de quelque chose de beau et de majeur. Mais ces mètres à franchir, ces mètres pour passer dans une autre vie, étaient terribles. Aucune ville ne relevait davantage que Berlin d'une ambiance de frontière ; c'était par extension la ville du passage. On aime différemment à Berlin. Il suffit de quelques mètres pour être un autre, pour quitter un homme ou une femme. Et tous ces quartiers qui sortaient du ciel étaient de pures exaltations d'une nouvelle passion ;

cette passion qui feignait d'oublier les ruines, pourtant si proches, de celle qui l'avait précédée. Ville du passage, et ville de la pure confusion dans le mélange des genres et des époques, dans l'angoisse hétéroclite de la vie sentimentale moderne.

Demeure alors un lieu, toujours hors du temps.

La bibliothèque.

Les livres furent la première visite du couple à Berlin. Ils allèrent à la Staat Bibliotek, située tout près de Potzdam Platz, dans ce quartier qui, au moment de leur voyage, était en pleine construction. Bien que moderne, la bibliothèque, dans ce contexte, paraissait déjà d'un autre temps. Claire voulait visiter ce lieu car Wim Wenders y avait filmé beaucoup de scènes des *Ailes du désir*. Il s'agissait sûrement des plus beaux moments du film, quand les anges se retrouvaient, le soir, entre les livres. Les boules rondes de lumière offraient à ce lieu magique une évocation de l'espace (un alunissage). Claire était sur la lune, plongée dans un film en noir et blanc, et oubliant sa vie le temps du pèlerinage. Aller sur le lieu du tournage d'un film qu'on a aimé était toujours une étrange expérience. On comparait tout, on avait du mal à imaginer qu'un jour lointain Wim Wenders et son équipe avaient encombré du bruit et de la fureur du cinéma ce lieu si calme. Que restait-il que la possibilité d'imaginer ? Tant de gens avant elle avaient dû venir dans ce lieu pour la même raison. Igor, lui, se sentait complètement exclu de cet instant, exclu du référent. Claire était dans son monde, dans la masturbation de sa propre mythologie.

Igor ne pouvait pas lutter contre les signes de la vie, contre les évidences qui s'imposent sur nos chemins, pour nous guider malgré nous. Après l'hôtel suisse, voilà qu'il était question des traces d'un film. Si cette visite avait été préméditée, l'émotion ressentie par Claire était nettement supérieure à cette préméditation. La surprise était là, dans ses veines, et son cœur ; la poésie du film la rattrapait. Elle entendait des mots allemands, et elle se souvenait de toutes les fois où elle avait vu ce film avec Jean-Jacques. Igor sentait bien que Claire lui échappait. D'une manière diffuse, sans mots et sans hystérie, mais d'une manière évidente. En tout cas, elle lui paraissait incapable de construire quoi que ce soit, maintenant. Il était prêt à lui laisser du temps. Mais cela serait inutile. Les conditions de leur histoire n'admettaient pas les essais et les ratés : il fallait que ce fût évident. Comme n'importe quel homme amoureux, il était prêt à se saborder sur-le-champ pour savoir ce qu'elle pensait réellement. C'était la chose la plus risquée qu'il pouvait faire.

« J'ai quelque chose à te dire. »

Claire ne sut que répondre. Elle avait peur d'une discussion solennelle qui tomberait au plus mauvais moment. Mais en regardant le visage d'Igor, elle sut que ces mots n'attendraient pas. Ils marchaient, à la recherche d'un bistrot convenable. Finalement, ils entrèrent dans un café Einstein, celui qui se trouve sur Unter den Linden, *sous les tilleuls*. Igor chercha ses mots :

« Tu sais, l'autre jour, quand tu as rencontré mon cousin... tu sais qu'il était en pleine filature...

— Oui, je m'en souviens.

— Eh bien voilà... La femme qu'il suivait, c'était toi. »

Claire fut très perturbée par ces mots. Enfin, pas ceux-là ; mais ceux d'après. Ceux par lesquels Igor lui annonça que Jean-Jacques avait engagé des recherches pour la retrouver. Elle refréna un rire nerveux. Elle se souvint du jour où elle était allée voir Dubrove, et maintenant elle imaginait Jean-Jacques sur le même chemin. C'était une folie ; un grotesque qui les liait tous les deux. Le visage de Claire était en mouvement. Igor repensait à cette phrase de son cousin : « Regarde bien ses yeux quand tu lui annonceras que son mari a engagé un détective privé. » Comment avait-il pu savoir que cela se passerait exactement de cette façon ? Tous les mots d'Ibàn lui revenaient. C'était terrible. Oui, il avait perçu dans le regard de Claire *une exaltation intime*. C'était peut-être vague comme définition, mais il ne cesserait d'y penser, à cette exaltation intime ; à ce moment où il se sentirait définitivement écarté de l'œil de Claire. Au moment où il le lui avait annoncé, il avait attentivement regardé ses yeux, il avait pensé à la recommandation quasi pythique de son cousin, et il avait décelé *une exaltation intime*. Une intimité, l'intimité de Claire ; son exclusion.

Après un temps, et cette question acheva d'achever Igor, Claire s'inquiéta :

« Et il lui a dit que nous étions ensemble ?

— Pourquoi, ça te gênerait qu'il l'apprenne ?

— Ne sois pas ridicule ! Je veux juste savoir.

— Je sens bien que tu serais gênée. Je suis quoi pour toi ?

— Tu es stupide !

— Juste une histoire comme ça ?

— Tu es idiot. C'est normal que je pose cette question. C'est la moindre des choses. J'apprends que Jean-Jacques a fait des recherches... C'est la première fois qu'il manifeste quelque chose... Je ne pouvais pas imaginer...

— Ça te rassure, alors. Bien sûr qu'il t'aime. Bien sûr qu'il donnerait tout pour que tu reviennes. Qu'est-ce que tu crois ? Tu es une femme formidable.

— Ne t'énerve pas. Ma réaction est normale. Je ne m'y attendais pas. »

Le sang d'Igor grimpa de plusieurs degrés. Parfaitement calme depuis des années, il fut happé par un souvenir d'angoisse. Le souvenir de la scène du cocu. Ce fut fugitif dans son esprit ; le paroxysme de son angoisse. Il entendit les rires fuser dans la salle de spectacle. Les instants se superposaient dans la confusion. Il n'osait plus regarder Claire dans les yeux. Il sentait la timidité revenir en lui, et ne put faire autrement que de quitter rapidement le café.

Claire s'en voulait, même si sa réaction ne lui avait pas paru excessive. Elle avait, c'est vrai, été heureuse d'apprendre que Jean-Jacques la recherchait. Elle se sentait soulagée, et c'était ce qu'avait dû comprendre Igor. Elle n'avait pas le droit de lui faire subir ça ; elle ne devait pas infliger aux autres ses propres variations. Elle regrettait de ne pas avoir couru derrière lui. Elle voulait le rejoindre au plus vite. Un bus reliait, d'une manière quasi incessante, la porte de Brandebourg au Zoo. Elle le prit mais n'en supporta pas la lenteur. Elle maudissait toutes les hésitations des touristes. N'en pouvant plus, elle descendit et se mit à courir. Dans la nuit, dans une ville étrangère, elle voulait retrouver Igor pour s'excuser, pour l'embrasser, pour tenter de l'aimer le temps de l'oubli. Leur premier soir à Berlin devait à tout prix être beau. En entrant dans la chambre, Claire, essoufflée, découvrit un homme hagard, dont les larmes allemandes ne pouvaient trouver de traduction.

« Pardonne-moi... », dit-elle en s'agenouillant.

Ils restèrent immobiles un long moment. Avec aisance dans la vie sans mots, dans la vie proche de la bestialité, ils se retrouvaient au cœur de leur passion.

Le véritable sexe est une déconstruction sociale. Claire, dans les moments de respiration, se positionnait sur Igor. Ses hanches charmaient ses côtes. Il la prenait par la nuque, et demeurait dans l'impossibilité psychique d'être brutal. Des mèches chatouillaient son torse, mais le rire n'existait plus. Il se concentrait sur ses yeux, et, toujours, il lisait cette exaltation intime. Elle l'obsédait maintenant. Il ne pouvait plus rien lire d'autre que cet instant où elle avait été touchée d'apprendre la recherche de son mari. Ce moment d'exaltation intime, ce moment dont il était exclu. Même quand elle lui faisait l'amour, elle laissait dans son œil vivoter son exaltation intime, sa part de vie sans lui. La jouissance seule, pendant le miracle de quelques secondes, pouvait faire tout oublier. Le plaisir est une amnésie, en plus d'une petite mort.

La mort, justement.

Le lendemain, le soleil était froid. Les amants étaient épuisés, mais c'était une fatigue qui procurait de l'énergie. Ils décidèrent de se promener dans le parc de Tiergarten, dont le cœur est la colonne des Victoires. Incroyablement calme, ce matin-là était un matin sans grande ambition ; peut-être, dans sa mollesse, espérait-il ne jamais devenir un après-midi ? Et encore moins une nuit. C'était comme le matin d'un matin.

Ni Claire ni Igor ne pensaient à Witold Gombrowicz. Et pourtant, les lieux sont porteurs des passés qui nous infiltrent et qui modifient souvent nos histoires. L'écrivain polonais a raconté, dans son journal, son retour en Europe et son passage à Berlin. Il avait atterri à Tegel, le 16 mai 1963. Il n'avait pas précisé son heure d'arrivée, mais Gombrowicz n'était pas du genre à prendre l'avion le soir. Après vingt-quatre années d'exil, il revenait en Allemagne. À propos de Tiergarten, il avait écrit :

Ici, il arrive que la beauté vous regarde
quelquefois dans le fond des yeux.

Quelques lignes avant cette phrase, Gombrowicz avait pensé : « Toute approche de sa jeunesse ne peut être que mortelle. » La beauté jaillissante de cet instant était aussi celle d'un retour d'exil qui était la condition la plus exacte de la mort.

Cette beauté était incroyablement venimeuse.

Il n'est jamais bon signe de laisser surgir, au cœur d'une relation amoureuse, un auteur polonais bien mort. Mort quelques jours après avoir assisté à l'alunissage. Tout aussi médusé qu'amusé, Gombrowicz mourut avec l'idée que la génération suivante voyagerait sur la lune, comme lui avait voyagé en Argentine. Seulement, la génération d'après et celle de maintenant voyagent toujours à Berlin, sur ses traces. Igor ne toucherait jamais la lune. Claire lui échappait dans les astres et l'espace, et si jamais il était en mesure de la ramener sur terre, ils ne se poseraient jamais à Genève. Il fallait le dire : on ne peut pas vivre deux Genève. Pour la simple raison que la mythologie du premier amour, du premier bien-être ravageur a pour condition d'anéantir toutes les répliques possibles. Berlin était ridicule, Berlin était absurde et grotesque. Berlin permettait même à Genève de reprendre un envol surestimé dans l'esprit de Claire. Genève avait le charme d'une erreur de jeunesse. Par la suite, rien de ce que nous vivons ne peut avoir cette même fraîcheur, cette même innocence, cette même enfance du bonheur. Pour parfaire la métaphore de l'enfance, cette métaphore de la bouche des enfants, ce serait en quelque sorte la vérité du bonheur. Après Genève, Berlin n'avait aucune chance d'exister (ou alors dans le mensonge). Peut-être pouvait-il tout juste vivoter, faire illusion, être une sorte de sportif français dans une compétition internationale, mais rien à faire, on n'y croyait pas. Il aurait fallu un Berlin incroyablement énergique pour tenter d'effleurer un Genève en petite forme.

Toujours dans cette matinée qui prenait des allures éternelles, Igor et Claire allèrent visiter le jardin botanique. Entre les fleurs, on trouvait des statues de couples heureux et des statues de couples malheureux. Igor aurait préféré voir les archives du Bauhaus, se réfugier dans la culture de ses origines. Entre les fleurs et la peinture, Claire préférait voir ce qui mourait. Elle se sentait assez mal. Repensant à son mari, repensant à toute la genèse de cette absurde déconfiture. Elle s'était laissé irrémédiablement entraîner sur la pente du détachement. On s'aimait moins, on se touchait moins, on se regardait moins, on se racontait moins. Elle savait aussi que tout était allé trop loin, qu'ils ne pourraient jamais recommencer leur vie d'avant. Si elle n'arrivait pas à vivre une histoire avec Igor, elle n'arriverait pas non plus à retourner avec Jean-Jacques. La solitude l'attendait. Elle prenait du plaisir avec Igor, mais elle le considérait davantage comme un ami. L'homme du bon moment. Elle y avait cru, à leur histoire. Elle avait cru à la possibilité de s'évader d'elle-même. Mais elle avait mentalement exagéré son inclination. Elle en avait fait une représentation de théâtre. Elle s'était regardée aimer, exactement comme on peut se complaire dans une douleur. Elle s'était dédoublée. Et cette fuite dans le quartier de son enfance ; au moment de rentrer dans l'hôtel, elle se souvenait avoir regardé sa chambre d'enfant ; et elle se souvenait avoir été une petite fille contemplant les femmes entrant dans cet hôtel. Depuis sa rupture, c'était la première fois qu'elle parvenait vraiment à se regarder de l'extérieur. Pendant qu'elle marchait avec Igor, elle quitta un instant son corps. Elle vit un couple se tenant la main. Un couple composé d'elle et d'Igor. C'était une évidence de froideur. Le froid qui rendait leurs doigts secs. Elle voyait deux mains s'unir, et c'était une tentative pathétique d'unir deux solitudes.

Le lendemain, dans l'avion du retour, ils se tiendraient la main pour se rassurer pendant les secousses. Leurs corps ne cesseraient pourtant d'être traversés par des sueurs. Une fois de retour en France, il leur serait impossible de savoir ce qu'ils retiendraient de ces trois jours. Les définir en une émotion relevait d'un ordre inexistant. Le taxi s'arrêtait maintenant en bas de l'hôtel de Claire. Igor caressa ses cheveux, sans les décoiffer. Elle descendit. Une fois seule, elle fut gênée de ressentir un soulagement.

Trois jours plus tard, Claire téléphona à Igor pour lui donner rendez-vous. Il l'attendait dans le même café que la fois précédente. À nouveau, il avait de l'avance. À nouveau, il attendait avec émotion le roulement de ses yeux, et l'expression de son visage au moment où elle le découvrirait. Toujours la picoseconde où le mensonge n'existe pas. Sa gorge fut nouée quand il la vit entrer. Ses yeux le cherchèrent, il s'était mis dans un recoin pour savourer cet élan aux frontières du voyeurisme.

Et elle le vit.

Leurs yeux se croisèrent.

Dans cet éclair de la vérité (les iris de Claire), ce n'était plus l'exaltation intime que pouvait lire Igor, mais bien les mots qu'elle allait lui dire, quelques secondes plus tard, quand elle serait assise tout près de lui. Il n'avait plus besoin de les entendre, ces mots, puisqu'il venait de les lire dans son regard. Elle était venue le quitter.

XII

Les interprétations les plus folles encombrèrent le cerveau de Jean-Jacques. Si Claire apprenait le russe, il n'hésitait pas à penser que son travail à Roissy était une couverture, et que depuis des années, avec une ténacité et une discrétion aussi subtile que féminine, sa femme lui avait caché qu'elle était un agent secret tentant d'infiltrer les ex-réseaux du KGB. C'était limpide, cela ne pouvait être que ça. On ne quittait pas le domicile conjugal ainsi pour apprendre le russe si l'humanité n'était pas un tout petit peu en danger. Ben Laden avait provoqué dans le monde des secousses terroristes, et maintenant sa femme le quittait. Bon, c'est vrai qu'il avait commis une indélicatesse, mais tout ça n'était qu'un prétexte. Et sa femme, véritable agent dormant, avait profité de la moindre erreur de sa part pour reprendre, avec une légitimité qui serait le comble de la finesse, son action internationale. Entre deux angoisses, il se laissait aller à une admiration sans bornes pour celle qui avait été autrefois sa petite Claire, si timide dans ses bras, amour d'ange, bibouze et bébé poule.

La réponse de Dubrove n'était pas sa seule source de perplexité. Depuis le début de sa dérive sentimentale, il avait préféré ne rien dire au bureau. Surtout à cause de Sonia ; si elle apprenait qu'il était libre, cela reviendrait à dénaturer leur histoire. Mais les choses, à cet instant précis, seraient différentes puisqu'elle frappait à la porte de son bureau. Quand elle entra, Jean-Jacques passa instinctivement une main sur sa joue, comme si la scène de la rupture venait d'avoir lieu.

« Voilà, je voulais t'annoncer que je quitte la société, ce soir. »

Jean-Jacques se leva. Il ne savait que faire de son corps. Sonia était sollicitée par une autre société depuis quelque temps. En toute logique, elle avait décidé de partir pour ne plus avoir à croiser cet homme qu'elle avait aimé Cet homme qu'elle aimait sûrement encore. Il était tout avachi dans un costume sans âme, et pourtant, elle était encore touchée par lui. Elle était venue lui dire au revoir. Debout, l'un devant l'autre, avec des souvenirs fusant, et des ressacs de leur sueur, ils se tenaient dans une immobilité totale. On eût dit un tableau moderne, où des figures grises et longilignes agonisent dans des bureaux aux lumières artificielles (un peintre belge). Au bout d'un moment, il était difficile de savoir qui, le premier, avait opéré une onde corporelle, mais ils s'avancèrent de quelques millimètres. Deux corps qui avaient été dans le mélange charnel se retrouvaient maintenant dans une hésitation, paradoxalement, tout aussi charnelle. Sonia décida de lui tendre la main, mais Jean-Jacques s'approcha d'elle pour la serrer dans ses bras. Ils restèrent un instant ainsi, et ce fut tout.

Enfin, pas tout à fait. Il y eut deux scènes entre eux. La première eut lieu quelques heures après que Sonia fut passée lui dire au revoir. C'était au sein même de l'entreprise. On organisait un pot pour son départ. Sonia, entourée de tant d'hommes, était couverte de cadeaux, et de signes de tendresse. Son sourire était forcé. Jean-Jacques passa à proximité de tous ses collègues, et tous lui proposèrent de venir boire un verre. Il prétexta mille choses, variant sa réponse selon l'interlocuteur, alternant le mal de ventre et la réunion familiale. Au moment de quitter l'étage, tout près de la porte, il se retourna une dernière fois. Elle l'avait suivi du regard. Leurs regards se croisèrent, et c'était exactement la même scène que celle de leur début. On aurait pu croire que tout allait commencer. Elle avait tourné son visage comme elle l'avait fait la première fois pour lui montrer son intérêt. C'était le goût d'un certain gâchis ; le goût d'une histoire ratée, une rencontre à un moment médiocre. Jean-Jacques aurait pu courir vers Sonia, pousser tout le monde, et lui crier son amour, mais Jean-Jacques sortit du bureau et prit l'ascenseur sans plus trop savoir s'il était garé au premier ou au second sous-sol.

*
* *

Ils se retrouveraient une dernière fois, le 12 juin 2034, dans un hôpital à la peinture fraîche. Sonia chercherait la maternité, car elle viendrait de devenir grand-mère. Et Jean-Jacques chercherait le service cardiologie, car il risquerait de mourir plus tôt qu'il ne l'avait imaginé. Tous deux pressés, ils resteraient néanmoins figés dans leur contemplation. Ils se reconnaîtraient immédiatement, malgré le temps, et les failles du souvenir. Ils tenteraient d'esquisser une conversation capable de résumer trente ans en trente secondes. Finalement, comme un jaillissement, comme le ramassis de son souvenir soniesque, Jean-Jacques susurrerait avec attendrissement :

« Sept ans de bonheur... »

Sonia se remémorerait le moment du miroir brisé. Elle serait touchée.

« Sept ans de bonheur... », répéterait-elle.

Sonia griffonnerait son numéro sur un papier.

« Je dois y aller... Appelle-moi, si tu as le temps... »

Il la regarderait partir à vive allure.

Jean-Jacques n'aurait pas le temps.

*
* *

Sonia partie, Jean-Jacques ne cacha plus vraiment son malheur. Au hasard des confidences, il avoua que sa femme l'avait quitté. Comme une traînée de poudre, en quelques jours, toute la société fut au courant. On passait à toute heure dans son bureau, si bien qu'il ne pouvait plus travailler :

« J'ai appris pour ta femme... Je suis désolé... Surtout, si je peux faire quelque chose pour toi... »

Jean-Jacques ne pouvait s'empêcher de percevoir dans ces élans compassionnels des échos d'une petite jouissance personnelle. Il confirmait ce qui avait été esquissé lors de la claque du docteur Renoir : il lui semblait lire dans l'attitude de tous une sorte de bonheur à le voir ainsi. C'était flagrant. En cas de malheur, on distribuait du bonheur. Sa déchéance était accueillie comme la pluie en Arizona. Il y avait aussi un autre aspect. Le vrai pauvre type, tout le monde le plaint quand il annonce que son père est mort, juste après avoir annoncé que sa sœur s'est suicidée, et que son beau-frère agonise d'un cancer ; c'est un peu extrême, mais évidemment dans ces cas-là personne ne peut se réjouir. Mais pour Jean-Jacques, la chose était différente : il était malheureux après des années de bonheur, et ça changeait tout. À la façon dont ils le consolaient, on eût dit qu'au fond, il payait son bonheur. On se réjouit du malheur de ceux qui ont été heureux.

Nous devenons ce que les autres attendent de nous, alors Jean-Jacques endossa le rôle du déprimé. Dans un premier temps, cela avait surtout été une stratégie : fatigué de voir le défilé de la fausse compassion, il avait décidé de répondre aux collègues venant le voir que, oui, il allait très mal. Il n'hésitait pas non plus à leur demander de l'aide (l'évocation d'une petite contribution financière suffisait à faire définitivement fuir les plus retors), et tout aussi vite que la nouvelle s'était répandue, plus personne ne vint le voir. On disait de lui qu'il était déprimé, et qu'il ne fallait pas le déranger. Son malheur l'écartait des autres ; on ne savait jamais, « des fois que ça s'attrape ». Jean-Jacques avait l'impression de devenir un fait divers, on le regardait en coin. Seul Édouard restait fidèle au poste, mais, un jour, il s'énerva :

« Tu dois te ressaisir. Si tu continues comme ça, tu vas te faire virer… Heureusement que je suis là, et que j'ai une relation privilégiée avec la responsable des ressources humaines. Certains sont à deux doigts de te coller un rapport… Et regarde-toi !

— Quoi ?

— Mais nous sommes vendredi !

— Et alors ?

— Et alors… Tu as mis une cravate ! »

Où allait le monde ? Si maintenant on n'avait plus le droit d'être élégant pour déprimer, tout devenait compliqué. Jean-Jacques perdait ses repères dans le monde moderne, il avait tenté d'être un homme de notre époque, un héros simple et efficace, un héros capable d'avoir une maîtresse et une vie familiale, et voilà qu'il s'était rendu compte de sa propre incapacité à vivre la multitude de choix de vies qui sont maintenant à notre disposition. Pour preuve, il ne s'était jamais abonné à la télévision par satellite ; choisir l'ennuyait ; il aimait ces restaurants où les menus tout compris sont des autoroutes du choix. Maintenant, on lui reprochait une cravate. Tout ce qu'il faisait était mal. Ce qui le sauvait finalement, c'était son goût pour les choses précises. Comme avec l'agence d'alibis, il allait maintenant entrer dans une vraie période de dépression, mais il le ferait avec précision. Le lundi suivant, il arriva au bureau sans cravate. Et les jours suivants, il fit de même. Dorénavant, il ne porterait de cravate que le vendredi.

Jean-Jacques était entouré de murmures. On disait de lui qu'il voulait remettre en cause toutes les bases de la société contemporaine, qu'il se rebellait outrageusement contre le progrès, que son malheur l'avait rendu aussi agressif qu'une grenouille craignant de perdre sa cuisse. Selon certains, il avait simplement besoin de repos. Justement, cela donna une idée au conseiller payé grassement à ne rien faire : il fallait créer une salle de repos dans la société. Un endroit réservé aux employés pour souffler. Un peu comme ces sociétés suédoises où l'on se fait masser deux fois par semaine par des Thaïlandaises silencieuses ; mais notre conseiller était contre le massage, il savait d'expérience que ça endort son homme. Il pensait plutôt à une petite salle aux murs blancs, avec de la musique douce, et des gâteaux pas trop secs, si possible. Comme il ne pouvait s'empêcher d'ajouter une touche personnelle à cette nouvelle arnaque conviviale, il décida de réserver un coin assez large pour l'emplacement d'un hamac. Jean-Jacques fut le premier employé à qui l'on proposa cette aire de repos. À peine son œil balaya-t-il l'espace qu'il fut happé par la vision du hamac qui était par simple extension la vision de Claire le quittant. La perfidie était totale, on disait vouloir l'aider, et voilà qu'on le replongeait à la source même de son malheur.

Jean-Jacques quitta la salle en criant, ce qui eut pour effet immédiat de gêner quelques concentrations importantes. On lui fit prendre des vacances de force. Sa dignité consista à ne pas résister à cet outrage. Après toutes ces années passées à pivoter, voilà qu'on lui demandait d'arrêter, de retourner chez lui où la rotation de son cou resterait enfermée dans un angle mort. Cette vie de dépressif qu'on attendait de lui, il allait dorénavant la mener. Il aurait voulu qu'on l'encadre, qu'on le soutienne, il aurait voulu être un sportif qui perd un match, et simplement un match, il aurait voulu lire dans le regard des autres de la compassion et non de l'effroi. On le rejetait ; on lui expliquait que c'était pour son bien. Il fallait qu'il se repose et prenne du recul ; mais c'étaient eux qui s'écartaient de lui. La façon insidieuse dont il avait été traité l'avait fait autant souffrir que les raisons de sa souffrance. Peut-être aurait-il agi de la même façon ? Quelques images de déprimés croisés dans sa vie défilaient devant ses yeux, et il admit n'avoir jamais été à la hauteur ; il avait cherché à conserver son propre terrain du bonheur, n'ayant pas la moindre amplitude dans son rapport aux autres ; il avait été aussi petit que tous étaient petits maintenant avec lui. C'était une suite logique dans la logique fourmilière des hommes. Il savait qu'il n'aurait besoin de personne, et que seul le cheminement de sa réflexion lui permettrait de reprendre le dessus, de rebondir, comme on dit stupidement. Il devait considérer les éléments avec le plus de lucidité possible. Il ressassait, dans des propos aux frontières insanes, le malaise qui le rongeait depuis des mois. Claire lui manquait à en mourir. Tant qu'il ne la reverrait pas, il végéterait dans cet état imprécis. La revoir était aussi une nécessité pour envisager son futur. Comment aller mieux, quand on ne sait rien de demain, quand demain est une femme dans la foule.

Louise le maintenait en vie. Un soir, il aborda avec elle le sujet du divorce. Elle ne paraissait pas du tout affectée par cette possibilité ; c'était une enfant moderne entourée d'enfants modernes dont les parents avaient déjà divorcé. Tous se séparaient tôt ou tard. Elle savait que les siens avaient déjà tenu huit ans, c'était plus qu'admirable. Dans sa mythologie, c'était même le signe d'un amour plus fort que l'amour des parents des autres enfants. Jean-Jacques la regardait avec stupéfaction. Il ne comprenait pas pourquoi une enfant de vingt-deux kilos lui paraissait plus solide que lui. Pour reprendre le dessus, il voulut l'aider à faire ses devoirs. Immédiatement, il se rendit compte de leur degré de difficulté (au passage, il évacua l'angoisse suivante : dans quinze ans, la génération de sa fille l'écraserait, et l'expulserait définitivement des chemins de la compétitivité). Il s'offusquait des termes employés. À son époque, on parlait de kilos de pommes ; maintenant, on employait des termes tels que taux, fluctuation, marge, délocalisation... Dès l'âge de six ans, on apprenait surtout aux enfants à ne plus aimer les mots. Il ne fallait pas s'étonner qu'ils ne lisent pas. Jean-Jacques, au cœur de sa crise, voulait protéger sa fille de la brutalité du monde moderne, lui donner les armes poétiques pour ne pas sombrer dans la masse des déchéances.

Jean-Jacques tentait toujours le soir de devenir un peu alcoolique. Il buvait sans grande conviction, comme si on lui avait greffé le foie d'un homme désespérément sobre. Depuis qu'il avait repéré le rapport érotique qu'entretenait Caroline avec les portes, il la regardait différemment. En quelque sorte, elle était devenue une possibilité sexuelle. Quand elle marchait près de lui, il imaginait déjà les mots crus qu'ils échangeraient dans l'anonymat de la nuit. Il pensait à ses seins et, dans ces instants, plus rien n'existait qu'une scène langoureuse défilant dans sa tête, et aggravant la sécheresse de sa langue. Il buvait pour se désaltérer mais l'alcool provoquait en lui certains fantasmes qui le desséchaient. Le cercle était donc vicieux. L'âge de Caroline ne lui posait aucun problème. À dix-neuf ans, on était une femme avec beaucoup d'expérience, on connaissait la chanson. Tout allait plus vite, maintenant ; tout, sauf la mort, qui venait lentement. Et puis ce serait facile. À dix-neuf ans, une femme fantasmait forcément sur un homme plus âgé, la maturité étant toujours un atout redoutable. Il n'avait qu'à s'avancer vers elle, et poser ses mains sur ses fesses. Pas besoin de mots. La chose serait d'une évidence bestiale. Il ferait coulisser sa robe, et la retournerait. Il poserait sa tête sur ses fesses et caresserait l'espoir de devenir un peu poète. À chaque fois que Caroline passait devant lui, ce soir-là, il lui souriait d'un air entendu. Pas besoin de mots. Apparemment, elle ne fut pas tout à fait d'accord avec ce silence trop appuyé. Elle se plaça devant lui, ses yeux étaient noirs :

« Je n'aime pas trop la façon dont vous me regardez depuis plusieurs jours. J'espère que vous n'avez pas d'étranges ambitions à mon égard. Le cliché de la baby-sitter sautée par le père, c'est pas mon truc ! Et surtout, je préfère vous le préciser, mais vous n'êtes pas du tout mon genre.

— ...

— Vous êtes un grand mince dépressif, et moi, je préfère les petits gros joviaux. Voilà, c'est dit. Alors arrêtez de me regarder comme ça.

— ...

— Sur ce, bonne nuit. »

Jean-Jacques trouva que les femmes, de nos jours, étaient vraiment formidables. Elles vous aimaient ou elles ne vous aimaient pas, et, au bout du compte, les hommes n'avaient plus grand-chose à faire. Ils n'avaient qu'à être eux-mêmes, gentiment lâches, honnêtement mous, et à attendre qu'une femme s'allonge ou non sur leur chemin. On perdait moins de temps ; si les couples divorçaient plus vite, il en allait de même avec les râteaux : on avait à peine le temps de regarder une fille que déjà elle nous expliquait qu'il était hors de question d'envisager quoi que ce soit. Enivré de culpabilité, Jean-Jacques reniflait dans sa chambre. Il regrettait la longueur de ses regards, et l'abondance de ses fantasmes caroliniens. Pour se justifier, il mettait cette dérive passagère sur le dos de sa déprime. Et puis, ce n'était pas que de sa faute. Quel homme aurait pu résister à Caroline, et à ce qu'elle représentait. Ce n'était pas une question de beauté, encore moins une question d'intelligence. Elle était juste là, presque à la place de Claire ; on trouvait même toutes les lettres de Claire dans Caroline. Une confusion était si vite arrivée. On pouvait si facilement être attiré par l'orthographe d'une femme. Et ce rapport aux portes. Oui, c'était surtout ça le cœur du problème, le début du dérèglement : son rapport érotique aux portes. Jean-Jacques n'était donc pas du tout responsable de ce qui s'était passé dans sa tête ; et maintenant que la nuit allait entrer dans sa phase solitaire, il décida d'aller la voir dans sa chambre. Il la trouva adossée sur un oreiller, en train de lire une bande dessinée. Sa vision était purement érotique (la porte en moins). Il énonça :

« Caroline, je sais qu'il est tard, excusez-moi de vous déranger, mais voilà, j'ai bien réfléchi et j'aimerais qu'à partir de maintenant vous choisissiez votre camp.

— ...

— C'est cuisine ou salon.

— ...

— On n'a pas le droit d'avoir un pied dans chaque pièce. C'est tout ce que je vous demande. Quand vous vous adresserez à moi, je vous demande juste de bien vous définir, au préalable, d'un point de vue géographique.

— ...

— Sur ce, bonne nuit. »

Une fois la porte refermée, Caroline étouffa un rire. Elle considérait cet échange comme l'ultime manifestation d'un homme en pleine décrépitude. Jean-Jacques, lui, fut totalement soulagé, et presque persuadé que son intrusion nocturne avait permis de rectifier le tir en partageant les responsabilités. Il n'allait tout de même pas passer pour un pervers polymorphe alors que c'était elle qui ondulait dans une indécision spatiale, source d'un érotisme incontestable. Jean-Jacques pouvait dormir dignement maintenant, en oubliant ce désagréable épisode. Sa vie était suffisamment compliquée comme ça sans avoir à affronter en plus le regard vengeur d'une femme n'ayant aucune expérience en matière de remboursement de crédit immobilier. Mais deux minutes après l'illusion de ce soulagement, il replongea dans une angoisse assez peu contrôlable. Il décida de rendre visite à Édouard.

*
* *

Depuis sa mise à l'écart professionnelle, son seul rapport à l'entreprise était une conversation quotidienne avec son ami. Celui-ci mentait amicalement en disant que tous ses collègues pensaient fort à lui et espéraient le revoir très prochainement en pleine forme. La vérité était bien sûr tout autre, et les chiens bataillaient pour savoir qui reprendrait le poste vacant, et grappillaient du mobilier jugé inactif (notamment cette petite horloge suisse).

*
* *

Édouard ne s'attendait pas du tout à voir son ami à cette heure, il fut pris au dépourvu. Quelque chose dans son visage n'allait pas : son dépourvu était surprenant. Il fit mine que tout allait bien et que, fidèle à sa proposition de porte toujours ouverte, véritable self-service de l'amitié, il avait bien fait de passer même à cette heure tardive. Jean-Jacques esquissa un geste d'excuse, et voulut faire marche arrière.

« Non, je t'en prie, entre... Tu ne me déranges pas, j'étais juste en train de couper des oignons... », avoua Édouard.

Cette phrase était trop absurde, il était deux heures du matin, personne ne coupait des oignons à cette

141

heure-ci. Les oignons, ça se coupe vers vingt heures trente, vingt et une heure au plus tard. Il y avait là, à l'évidence, une tentative grotesque de masquer des larmes. C'était même encore plus grotesque que ça, car jamais Jean-Jacques n'aurait pensé à la possibilité des larmes avant que son ami n'ait prononcé le mot « oignon ». Il avait donc révélé ce qu'il voulait cacher. En marchant vers le salon, Jean-Jacques jeta discrètement un coup d'œil en direction de la cuisine et put constater qu'aucun oignon n'était en train d'être coupé. Sans être très intuitif, il sentait qu'il allait se retrouver dans la pire situation qui soit : rendre visite à un ami censé nous remonter le moral, et se retrouver face à un ami déprimé à qui on doit remonter le moral. Mais qu'avait-il bien pu se passer dans la vie d'Édouard ? Lui qui était toujours prêt à organiser des fêtes insignifiantes entre collègues se détestant, lui dont les femmes devaient rêver le nom en se retournant la nuit, lui qui était toujours l'ami à l'écoute des détresses des autres... que s'était-il passé ? Jean-Jacques s'installa dans le canapé et demanda :

« Tu es sûr que ça va ? Si je te dérange, je peux...

— Non, je t'ai dit que tu pouvais passer quand tu veux... Dis-moi ce qui ne va pas ?

— C'est que...

— C'est Claire, c'est ça ?

— Oui.

— Elle te manque, c'est ça ?

— Oui. »

Alors, Édouard éclata en sanglots. Jean-Jacques eut du mal à prendre ses marques, et voulut se faire croire, en toute mauvaise foi, que son ami pleurait de ses malheurs.

« Non, mais ne t'inquiète pas. Je pense que ça va aller, et que Claire va revenir...

— …

— C'est gentil de t'inquiéter pour moi.

— …

— Tu veux un mouchoir ?

— Jean-Jacques ?

— Quoi ?

— Il faut que tu saches une chose.

— Quoi ?

— Claire ne reviendra jamais ! »

Édouard se servit un verre, et y noya sa bave. Jean-Jacques était médusé par ce qu'il venait d'entendre. Édouard se lança alors dans une sombre confession. Il expliqua qu'il faisait semblant depuis des années, et qu'il regrettait de lui avoir menti sur cette vie de célibataire soi-disant extatique. Depuis son divorce, il se sentait minable et inutile. Il voyait ses enfants, mais il sentait bien à quel point ils grandissaient loin de lui et devenaient des petits adultes anonymes. Et toutes les filles avec qui il couchait, c'était toujours la même chose, des histoires sans queue ni tête. Il se sentait pathétique, d'un pathétique qui l'empêchait de dormir.

« J'ai été con. Si tu savais comme j'ai été con. »

Jean-Jacques repensa à quelques anciennes discussions, et à l'énergie déployée par Édouard pour le faire plonger dans l'adultère. Il ne remettait pas en cause son amitié, mais, inconsciemment, il avait voulu l'attirer dans cette même vie solitaire. Éprouvait-il de la pitié, de l'agressivité, de l'angoisse, de la compassion ? Un peu de tout sûrement. Il décida de ne pas lui en vouloir pour ses mauvais conseils, et préféra se concentrer sur tous ces moments où il avait été là pour lui. Édouard avait dû beaucoup souffrir à vivre ainsi, dans le trouble de soi. Tant de fois il avait dû rentrer chez lui, et errer dans son appartement à la recherche de quelque ombre de son passé. Il voulait l'aider à son tour, trouver les mots justes. D'une manière surprenante, Jean-Jacques les trouva. Il sut parler simplement, avec délicatesse et chaleur. Édouard releva la tête. Il semblait un autre homme, un homme soulagé du mensonge de sa vie, dégagé de sa propre parodie. Les deux amis se serrèrent pour la première fois dans les bras ; et ce fut sûrement le moment le plus juste de leur amitié. Ils se souhaitèrent bonne nuit, du courage pour affronter le noir. Jean-Jacques se sentit bien en repartant. Bien mieux que s'il avait été consolé, il avait presque envie de rire, frôlant une certaine euphorie. Il avait été utile. En cas de déprime, rien ne valait la visite à un déprimé.

Le lendemain, Jean-Jacques tenta de passer une honnête journée. Il fit même quelques pompes (trois, pour tout dire), signe d'un retour musculaire à la vie. En plein cœur de la journée, comme une météorite imprécise, le téléphone sonna. C'était Claire. Ils échangèrent quelques banalités, mais c'était bon. Elles étaient douces, ces banalités ; aussi douces qu'une bouffée de pot d'échappement pour un ressuscité.

« Tu vas bien ?

— Oui, et toi ?

— Oui, ça va... on se voit bientôt ? tenta Jean-Jacques.

— Je passerai te voir.

— Tu me manques.

— ...

— J'ai été...

— ... Écoute, on parlera plus tard. Je voulais te dire que j'ai eu Sabine, et qu'elle passera voir Louise ce soir.

— D'accord.

144

— À bientôt.

— Oui... à bientôt. »

Jean-Jacques raccrocha et considéra que cette conversation n'avait pas été très Genève. Mais il en avait éprouvé un certain bonheur. Il avait tant appréhendé leur première discussion, et tout s'était très bien passé. Ils étaient calmes. Comme de vrais adultes. Pas la moindre parcelle d'immaturité dans cet échange téléphonique sobre, précis, si adulte. Pas d'humour, non plus. Rien que de la belle précision. Un peu technique, tout de même. Certainement trop technique. Un peu trop avocat, maintenant qu'il y repensait. C'était un dialogue de divorce, ça. Un procès-verbal, presque. Avec des mots courts, simples et efficaces. Des mots sans le moindre double sens. Et pourtant un peu flous ; rien n'était plus flou que le mot « bientôt ». Pour certains, « bientôt » avait même des allures de « jamais ». Jean-Jacques oublia l'aspect positif de cet échange, le simple fait qu'elle l'ait appelé, comme ça. Il respirait le plus calmement possible, mais fut contraint de lever le bras pour chasser une douleur à l'abdomen. C'était sûrement les pompes. Ce n'était pas son genre, les douleurs psychosomatiques. Son corps ne lui mentait pas. Claire, sa voix, il repensait à sa voix, avec émotion. Il l'aimait, voilà ce qu'il fallait dire. Il n'y avait plus aucune hésitation, aucune possibilité de bribe potentielle de doute de quoi que ce soit, son amour était sans faille, précis et technique. Un amour qui ressemblait à une procédure de divorce.

La visite de Sabine l'ennuyait au plus haut point ; surtout à cause du rapport qu'elle ne manquerait pas de faire. Par ailleurs, il ne l'avait jamais vraiment appréciée. Elle avait toujours un avis sur tout, alors qu'elle ne savait rien de rien. Et elle avait un problème de voix, une sorte de filet perpétuellement strident, les mots s'enchaînant les uns aux autres dans un aigu à la volonté kamikaze. Heureusement que, depuis sa déprime, Jean-Jacques se lavait d'une manière anarchique, et qu'un petit bouchon de cire s'était développé dans ses oreilles. Bouchon qui allait maintenant déployer toute son utilité. À peine entrée dans l'appartement, Sabine se précipita sur Louise. Jean-Jacques fut ému par tant d'affection, et admit instinctivement tous les trésors cachés de Sabine, toute l'attention dont elle avait été capable envers sa fille. Il prépara de quoi faire un apéritif. Il avait acheté des choses positives, comme des olives vertes ; il était évident que l'olive verte dégageait une ambiance de non-dépressif. Mais surtout, après avoir cogité tout l'après-midi, il avait réglé son problème d'attitude vis-à-vis de Sabine : il la bombarderait de questions. La meilleure chose à faire pour paraître à son avantage était toujours de s'intéresser à l'autre. Cette stratégie serait fructueuse puisque, le lendemain, Sabine avouerait à Claire : « Tu sais, je l'ai trouvé très bien… il était attentif, il posait beaucoup de questions… ça ne trompe pas… » Pendant que Louise répétait son piano, Sabine fit quelques gammes sur sa vie personnelle. Ses réponses correspondaient exactement à ce que Jean-Jacques n'aimait pas chez elle. Des grandes phrases sur la vie. Des grandes phrases, alors qu'il aurait été tellement plus simple qu'elle avoue sa détresse, et son angoisse d'affronter le futur. Elle se rapprochait, dans l'esprit de Jean-Jacques, du prototype de la célibataire aigrie. Elle parlait des hommes toujours *en général*, noyant ainsi dans la masse sa non-connaissance des hommes. À peine entendait-elle le mot « enfant » qu'aussitôt elle déclarait ne pas en vouloir. Mais personne ne lui avait rien demandé ; comme si, par des théories, elle voulait justifier le manque de désir qu'elle pensait susciter chez les hommes. Le problème était aussi que l'excessive certitude de son manque de féminité la rendait atrocement peu féminine. Ainsi, son destin lui paraissait tellement tracé dans la solitude que, d'une manière à la fois inconsciente et cliché, elle adaptait son état d'esprit à ce qu'elle croyait penser. Malgré ses dénégations maternelles, il était évident qu'elle ferait un enfant avec le premier homme qui le lui proposerait. Le premier homme passant par là.

On sonna.

Jean-Jacques s'excusa d'interrompre cette conversation passionnante, et se leva pour ouvrir. C'était Édouard. Celui-ci le poussa aussitôt dans un coin du vestibule pour se déchaîner verbalement :

« Tu sais, hier, je ne sais pas ce qui m'a pris... Je n'étais pas dans mon assiette... Mais tu sais bien que ça arrive à tout le monde, ah !... Je ne sais pas... C'est sûrement à cause du PSG, tu sais, ils ont perdu hier soir... Au Parc en plus, tu imagines... Trois défaites de suite... C'est sûrement ça, je me suis dit... Enfin voilà, je voulais te dire que tu pouvais toujours compter sur moi, que tout allait bien et que...

— Je te sers un verre ? »

Jean-Jacques présenta Édouard à Sabine, et leur poignée de main fut longue. Enfin, c'était presque imperceptible, peut-être une seconde de plus qu'une poignée de main ordinaire, mais cette seconde-là avait paru longue, très longue même, d'une longueur quasi inexplicable. Édouard avait peur de déranger, alors que, bien au contraire, il permettait de faire diversion. Mais, ce soir-là, il était peu loquace. Sa langue restait en suspens. Jean-Jacques le contemplait avec un étonnement tout particulier. Pour meubler la conversation, il proposa de leur resservir un verre. Et tous deux gloussèrent d'une manière aussi ridicule qu'inattendue. Il n'y avait rien de drôle.

« Sabine, je crois que tu préfères le whisky sans glaçon ?

— Euh, oui.

— Oh, ça c'est drôle, moi aussi, je ne suis pas très glaçon dans le whisky, s'enthousiasma Édouard.

— Oh oui, c'est drôle, s'enthousiasma aussi Sabine.

— ... »

Jean-Jacques coupa un instant son effort hospitalier, et contempla tour à tour ses hôtes. Il se souvint d'avoir lu dans le journal que la première cause de rencontre amoureuse n'est ni les mariages ni les clubs de vacances pour célibataires, mais la visite à un ami dépressif. Ce n'était pas tout à fait le cas, ce soir, mais il était évident qu'il était toujours bon, pour les célibataires, d'avoir dans leur entourage un échantillon humain dépressif sur lequel on pouvait se regrouper et compatir ensemble.

Après l'épisode du whisky, Jean-Jacques assista à une succession de silences gênés et de sourires soulagés. C'était un mystère au-delà des mystères, mais ces deux humains avaient visiblement des choses en commun. Ils raclèrent très vite quelques fonds de tiroir pour enfin les trouver, ces films qu'ils avaient, par miracle, vus tous les deux (précisons qu'il s'agissait des plus gros succès commerciaux des dernières décennies). On s'extasia sur le hasard, tout de même. Et Jean-Jacques se sentit obligé de rentrer dans le jeu de leur mascarade :

« Oui, le hasard, tout de même. »

Louise demanda à Sabine de lui raconter une histoire pour s'endormir ; ce soir, son imagination serait infinie. Pendant ce temps-là, gêné comme rarement il l'avait été, Édouard demanda à Jean-Jacques si Sabine était célibataire. Il demeura un instant silencieux (une digestion de la question), et Édouard considéra ce silence comme un mauvais signe. Jean-Jacques se décida enfin à répondre :

« Mais non, elle est célibataire. »

Édouard soupira fort, et confia son impression à son ami. Comment dire, les mots lui manquaient. Il trouvait Sabine différente, il émanait d'elle une stabilité et une maturité époustouflantes, il y avait en elle (une pure intuition) tout ce qu'il pouvait attendre d'une femme, maintenant, à ce stade de sa vie. Il voulait du concret, et Sabine avait une tête à proposer du concret. Et puis, surtout, oui surtout, il avait aimé sa voix. Dès qu'il l'avait entendue, il s'était senti en terrain connu.

Une fois Louise couchée, on prétexta ne pas vouloir déranger Jean-Jacques plus longtemps. Les deux hasardeux du soir repartirent ensemble. Ils allaient dans la même direction, qui était la direction du couple. Seul, Jean-Jacques pensa au manège de l'amour. Maintenant qu'il s'en trouvait écarté, le bonheur amoureux lui paraissait être une chaise musicale. Pour Sonia, il s'était levé de sa chaise ; puis il était tombé entre deux chaises. Et voilà qu'il était debout, maintenant. Plus encore, le voilà qui proposait des chaises aux autres. Sabine et Édouard allaient enfin s'asseoir, et Jean-Jacques allait contempler le bonheur assis des autres.

XIII

Claire fut soulagée en entrant dans la chambre d'hôpital de sa mère. La folie qu'elle avait repérée dans son œil semblait avoir totalement disparu. Renée confirma :

« Ah, ma fille... si tu savais comme je me sens mieux... je suis incapable de te dire ce qu'ils m'ont fait, mais le résultat est formidable. Je sens une grande stabilité dans ma tête, même si ça bouge beaucoup parfois... comme des petits coups secs...

— ...

— Enfin, bref... je suis de retour. Et j'ai repensé à toi, au dimanche, à ta séparation... »

Renée enchaînait les mots, dans une nouvelle énergie. Elle parlait du passé, elle parlait du futur ; elle semblait affamée de vie. Sans attendre, elle voulait parler à sa fille, lui révéler une histoire qui expliquerait peut-être son comportement depuis toujours ; son comportement qu'elle regrettait amèrement depuis son retour des rivages de la folie.

Tout avait commencé quelques jours après le cinquième anniversaire de Claire. René avait été sollicité par l'hôpital de Sèvres, une proposition impossible à refuser. La famille s'était installée à Marnes-la-Coquette, dans une jolie maison, avec un jardin, et deux beaux arbres qu'on pouvait relier par un hamac. Cette époque était du miel aux yeux des autres : une réussite sociale, un couple solide, et une petite fille douce. Forcément, on se fait toujours un peu avoir par ce que les autres pensent de nous. Quand on disait à Renée qu'elle avait de la chance, elle ne pouvait faire autrement que de considérer qu'en effet, elle en avait, de la chance. Elle ne mentionnait jamais tout ce qui l'agaçait chez son mari, et tout cet étouffement qui l'avait rendue parfois agressive, et de moins en moins douce (elle n'avait jamais minimisé sa part de responsabilités dans la dégradation de son couple). Le véritable problème avait été l'investissement de René dans son nouveau travail. On ne le voyait plus, c'était sa grande période, son vedettariat de la main. À cette époque, il avait hésité (la médiatisation entraînant une envie d'être médiatisé) à se lancer en politique, et à tâter de la circonscription. Mais très vite, une idée l'avait refroidi : celle de serrer des mains. C'était le passe-temps favori de tout élu, et il ne pouvait pas se permettre de mettre ainsi en péril son outil de travail. On le vit tout de même beaucoup traîner dans les conseils municipaux. Il avait pris goût à donner son avis sur tout et sur rien. Il avait surtout pris goût à l'idée d'être respecté, d'être admiré, d'être considéré ; c'était un homme.

Renée passait ses journées à ranger la maison, à se passionner pour les fleurs, à devenir bourgeoise. Mais elle passait également son temps à écouter la radio, à aimer l'idée de la revendication, à devenir une femme libre. Il lui semblait que les jours allaient s'enchaîner les uns aux autres dans une mécanique parfaitement huilée, sans la moindre surprise. Trente ans plus tard, sa fille ressentirait à peu de choses près la même sensation. Heureusement que la vie ne laisse jamais les femmes ainsi. Il se passe toujours quelque chose tôt ou tard. Peu importait la qualité de cette chose, d'ailleurs. En général, on arrive à un tel point d'ennui qu'on est capable de se réjouir d'un décès. Un décès en province bien sûr, avec un voyage à la clé. En l'occurrence, ce ne fut pas un décès. Ce n'était pas vraiment plus réjouissant, c'était le degré juste en dessous du décès : il y eut des problèmes de tuyauterie dans la maison.

Il y avait beaucoup de travaux à faire. Dans l'urgence de sa nomination, René n'avait pas pris le temps de faire expertiser la maison, et voilà que lui tombaient maintenant sur le dos des soucis qu'il fallait régler au plus vite. On lui parla d'un plombier efficace et surtout disponible, et la chose fut entendue. C'était donc bien moins le problème de tuyauterie que l'homme censé réparer cette tuyauterie qui fut un événement dans la vie de Renée. Elle admettait en racontant son récit la part totalement cliché de la situation : la bourgeoise qui s'ennuie, et le plombier qui se transforme en fantasme. Dans les premiers jours, Renée, figée dans son rôle de maîtresse de maison, avait à peine regardé le plombier ; elle ne savait même pas encore qu'il était italien et qu'il s'appelait Marcello (cliché du cliché). La révélation se produisit de manière totalement fortuite. Renée passa dans la cuisine au moment où le plombier changeait les tuyaux. Son regard se porta sur ses mains. Bien sûr que c'était agréable de voir un homme, musclé de surcroît, allongé à même le sol, dans un effort suant. Mais ce qui l'avait touchée à ce moment précis, elle s'en souviendrait toute sa vie, c'était de voir à quel point ses mains étaient pleines de cambouis ; de voir à quel point ses mains s'épanouissaient dans une action primaire et pratique. Pour comprendre ce qu'elle avait ressenti, il fallait juste préciser que son mari la touchait de moins en moins, sous prétexte de devoir préserver ses mains.

Il ne touchait plus sa femme au nom de la médecine. Alors de se retrouver nez à nez avec les mains d'un homme qui seraient capables, par extension, de la prendre virilement lui fit perdre l'équilibre. Ils firent l'amour sur-le-champ, s'emportant dans des dérives primitives. Le soir même, Marcello annonça à René que quelques soucis prolongeraient la durée des travaux.

La suite, elle était simple la suite, et elle était idiote la suite. Ils entamèrent une liaison qui se situait bien au-delà de la possibilité de toute culpabilité. Le plaisir, en atteignant ce niveau, effaçait toutes les porosités de la conscience morale. Jamais Renée ne s'était sentie aussi bien dans les bras d'un homme. En voyant rire sa femme, René eut la prétention de se croire responsable de son épanouissement. En d'autres termes, il la jugeait suffisamment matérialiste pour se satisfaire d'une maison, de quelques relations de voisinage, et de réunions Tupperware avec des femmes sans âge. Marcello et Renée, dans les semaines de leur folle passion, apprirent à se connaître. Ce n'était pas qu'une attirance physique. Ils riaient pour les mêmes choses, ce qui est l'essentiel des amours. Le dernier tuyau fut changé dans la douleur. Marcello devait retourner à Venise (c'était la cerise, il habitait Venise). Il proposa à Renée de venir avec lui, et ce fut le début du drame de sa vie. Elle se mit à pleurer pratiquement tout le temps ; l'idée de perdre Marcello lui broyait le corps, manquait de l'étouffer. Il la pressait. Et pourtant, il savait que c'était impossible. Surtout à cause de Claire. Et des convenances. Tant de regards pesaient sur Renée ; le poids de toutes les générations de femmes la précédant ; c'était une impossibilité ancestrale.

Marcello partit, et Renée tomba malade. Gravement. Personne n'osait prononcer le mot de « dépression ». On parla d'une épidémie, d'une bactérie, de n'importe quel mal, du moment qu'il était concret. Une amie de Renée s'installa alors pour s'occuper de Claire (en écoutant sa mère, tout lui paraissait surgir d'un temps occulté ; la femme qui s'était occupée d'elle était une Sabine, en quelque sorte). Et puis les choses allèrent mieux. Renée devait coûte que coûte revivre, elle ne pouvait pas se morfondre ainsi. Elle devait se réjouir d'avoir connu un aussi grand bonheur. Et puis, elle replongeait. S'ils sont éphémères, les grands bonheurs sont pires que les grands malheurs. Renée trouvait la situation tellement absurde ; elle était persuadée que bientôt tout le monde divorcerait, que le mariage deviendrait juste une manière de glorifier un amour pendant une période de vie. Mais à son époque, l'adultère était considéré comme un délit. On ne quittait pas. On préférait tuer ou se tuer, c'était plus simple. En apprenant que sa fille allait quitter son mari, elle n'avait pas supporté qu'elle réussisse ce qu'elle-même avait raté. Claire interrompit la confidence pour prendre les mains de sa mère.

Le temps avait été perdu. Jamais Claire ne pourrait redevenir une petite fille. Il était important, maintenant, de ne pas mélanger les détails de cette histoire avec la sienne. Les échos familiaux, les schémas identiques, ne pouvaient plus se répéter. On entrait dans une époque nouvelle, celle où l'épanouissement était une condition de notre condition. Ce ne serait pas forcément mieux ; on parviendrait très vite à défricher d'autres terrains de la frustration humaine.

XIV

Au moment où nous sommes pris en photo, nous ne savons jamais qui aura cette photo entre les mains, les mois et les années et les siècles suivants. Quelles seront les réactions suscitées par cette photo, les incidences sur la vie des gens ?

Quelques jours après la fin brutale de son enquête, Ibàn pouvait considérer que son comportement avait été celui d'un homme amoureux. À l'origine de ce sentiment, il y avait eu une photo prise le jeudi 17 octobre 1997, à dix-sept heures, vingt-deux minutes, et douze secondes. Il était pourtant assez rare qu'on prenne des photos un jeudi après-midi, comme ça, en plein mois d'octobre. À vrai dire, celle-ci avait un destin pour le moins bâtard : elle avait existé pour finir une pellicule. Le week-end précédent, Jean-Jacques avait pris des photos pendant une soirée entre amis, des clichés somme toute assez classiques, pas vraiment de prise de risques dans le clic, juste de quoi figer, dans la sobriété d'un carré, des amis alcoolisés. Le jeudi suivant, au moment de porter les photos à développer, il s'était rendu compte que la pellicule n'était pas tout à fait finie. Il avait alors pivoté du cou, et, voyant sa femme dans les parages, il avait eu la belle intuition de la photographier. Mais Claire était dans une fémi-

nité du jeudi après-midi, une féminité qu'on n'immor-
talise jamais. Elle prétexta même être hideuse, avant
de rire : tout cela était bien ridicule. En cas de laideur,
elle déchirerait la photo.

Pendant sept ans, cette photo était restée dans un
tiroir sans intérêt ; le genre de tiroir dans lequel on ne
cache aucune lettre d'amour. Et pourtant, le jour où
Jean-Jacques, en plein désarroi, avait voulu prendre
une photo de sa femme avec lui, il s'était dirigé,
comme poussé par une force inconsciente vers ce
tiroir. En s'emparant de la photo, il fut frappé de se
souvenir parfaitement du jour où il l'avait prise, de se
souvenir parfaitement que ce jour-là sa femme s'était
trouvée hideuse. Sept ans après, il lui répondait enfin :
« Mais non, tu es très belle. » Elle n'était plus là pour
l'entendre.

Quelques minutes plus tard, la photo se retrouvait
sur le bureau de Dubrove.
Et quelques minutes plus tard, elle était en posses-
sion d'Ibàn.

Ce ne fut pas un coup de foudre. Ibàn, dans une
obligation professionnelle, observa longuement le cliché. Et c'était précisément dans cette nécessité-là que
le miracle s'était produit. La révélation avait été très
troublante. Il s'était rendu compte que, partout, la
beauté pouvait se révéler. Il suffisait de laisser du
temps à notre œil, de ne pas se laisser étouffer par la
première impression. Il était difficile de savoir d'où
avait jailli son sentiment de la beauté de Claire. Et
simplement, sans trop comprendre pourquoi, il émit
l'hypothèse qu'il était amoureux de cette femme. Ce
qui le touchait était peut-être, sans le savoir, la source

absurde de cette photo. Non pas qu'il fût un nihiliste omniscient, mais il se dégageait parfois une beauté rare de l'insignifiance des choses.

Sa désillusion avait été à la mesure de sa cristallisation. Il se reprocha d'avoir réagi ainsi vis-à-vis de son cousin. Il lui téléphona pour s'excuser et tomba sur une voix hoqueteuse, rythmée par des reniflements. Aussitôt, il décida de passer le voir.

« Elle est partie, c'est ça ?

— Oui, elle est partie.

— Je vais m'occuper de toi, ne t'en fais pas, je suis là...

— Tu avais raison... Quand je lui ai dit pour son mari... ses yeux, tu aurais vu ses yeux...

— Calme-toi... On va parler tranquillement... »

Ils burent du thé pour se réchauffer. Ils parlèrent lentement, à tour de rôle. À des degrés forcément différents, ils avaient souffert de la même histoire. Ce qui les avait séparés dans un premier temps les réunissait maintenant dans le souvenir. Igor voulait parler de Claire, se remémorer son histoire. Ibàn voulait tout savoir de Claire, vivre par procuration un amour qu'il n'avait pas vécu. Leur terrain d'entente était donc tout trouvé. Ils étaient dans leur univers, parlant le même langage, incompréhensibles à tous ceux qui n'avaient pas été amoureux de Claire. Igor évoqua *Jules et Jim*. Il pensait que ce n'était pas pour rien que la femme du trio n'apparaît pas dans le titre. Ce qui peut unir plus que tout deux hommes, c'est l'amour de la même femme. Ainsi commença la période de leur vie où ils se virent le plus. Grâce à son cousin, Igor se remettait de son plus grand chagrin amoureux. Il arrivait à ne retenir de toute cette histoire que la sève du bonheur. Ils étaient heureux d'avoir connu cette femme. En parlant d'elle, ils essayaient d'imaginer son avenir. Qu'allait-elle faire maintenant de sa vie ? Tous les deux étaient d'accord sur une chose : elle aimait encore Jean-Jacques. Et cet amour était, à l'évidence, réciproque. A priori, ils se remettraient ensemble, et continueraient leur vie après cette étrange période. Seulement, les choses ne seraient peut-être pas aussi simples ; leur couple pouvait ne pas parvenir à trouver un second souffle. Ce serait alors un gâchis, pensaient-ils. Et il fallait aussi penser à Louise. Leur discussion devenait relativement bizarre. Ils penchaient vers le côté démiurge de l'amour, cette impression de savoir ce qui est bon pour l'autre. Ils s'inquiétaient pour elle, ce qui était normal. Mais ce qui pourrait paraître moins normal était leur désir absolu de rendre Claire heureuse. Ils étaient prêts à faire beaucoup pour y parvenir.

XV

René avait préparé le retour de sa femme avec minutie. Fortement perturbé par toute cette histoire, il attendait ce moment avec impatience. Il avait compris qu'au fond de lui il aimait cette femme, et qu'il fallait essayer de profiter du temps qui leur restait pour être heureux. Il avait acheté des fleurs qui agonisaient en un bouquet inespéré. Il avait voulu tout bien faire ; il avait préparé son costume depuis plusieurs jours, le froissant ainsi dans sa bonne intention. Il ressemblait à une valise, ce qui l'aurait rendu discret sur un quai de gare.

Son cœur battait, il était mignon, il était rabougri.

Elle fut surprise de le voir ainsi accoutré. Elle se mit à rire, et René eut peur que ce rire ne soit nerveux. Renée le rassura aussitôt, tout allait bien. Ils se dirigèrent vers le parking. En route, il mit une compilation de musique d'ascenseur achetée dans une station-service. Depuis toujours, en voiture, René écoutait les informations ; sa femme considéra cette tentative ridicule comme une délicatesse. Mais elle lui dit que tout allait bien, qu'elle n'était plus malade, et qu'il pouvait reprendre une attitude normale. Le problème était qu'il ne savait plus très bien quels étaient ses goûts. La solitude et l'angoisse avaient rongé ses habitudes.

En ouvrant le portail, en redécouvrant son jardin, Renée fut émue aux larmes. René avait préparé un déjeuner, avec tout ce qu'elle aimait. Tout était parfaitement disposé. Il avait hésité à faire un gigot, plat préféré de sa femme, mais il doutait que cela fût une bonne idée. Il fallait sûrement éviter le gigot pendant un long moment. Il avait opté pour des paupiettes. C'était bien, les paupiettes, c'était un bon plat pour un retour de convalescence. On se sentait bien avec des paupiettes, ce n'était pas du tout un plat agressif. Aujourd'hui, tout lui paraissait joyeux. Il se focalisait sur la simplicité de ce repas, sur la simplicité de ce moment retrouvé. C'était un vrai bonheur. « On aurait presque pu manger dehors », dit-il. Renée trouva que c'était une bonne idée. Ils se levèrent après les paupiettes, pour boire un café dans le jardin. Il y avait plus de soleil que prévu, cette journée était belle et douce. René et Renée se regardaient avec douceur ; ils n'avaient absolument rien à se dire, mais le silence avait toujours été ce qu'ils échangeaient de mieux. Ils devaient maintenant reprendre leurs marques, réapprendre l'engagement du quotidien. René se sentait soulagé, tout allait redevenir comme avant. Sa vie allait continuer avec de beaux jours devant lui.

Soudainement, il accusa le contrecoup. Toute l'angoisse accumulée depuis des semaines se relâchait enfin, dans un soleil d'automne, et un café pas trop fort. Il décompressait, voilà l'expression. Il n'avait qu'une envie maintenant : se prélasser. Prendre du plaisir, souffler, ne plus penser à rien qu'à ses repas, son jardin, et aux programmes télévisés. Profiter de sa retraite à Marnes-la-Coquette. Il se leva alors, passa une main dans le dos de sa femme, et marcha un peu dans le jardin. Tombant nez à nez avec le hamac, il considéra que c'était exactement ce qu'il lui fallait. Il voulait balancer son corps fatigué dans un mouvement lent et régulier. Il n'utilisait jamais ce hamac, et voilà qu'il lui apparaissait comme le point d'orgue de cette merveilleuse journée. Il grimpa, et le balancement commença.

Renée se leva alors vers lui, marchant d'un pas décidé. À hauteur du hamac, elle le regarda, et lui annonça de la manière la plus simple qui soit : « Je te quitte. »

TROISIÈME PARTIE

I

Après avoir manifesté son bonheur de voir ses parents réunis, dans une même pièce tout du moins, Louise retourna dans sa chambre. Par sa présence, elle avait jusqu'ici évité l'incroyable gêne qu'éprouvaient Jean-Jacques et Claire. Ils ne s'étaient pas retrouvés face à face depuis des semaines. C'était sûrement la sensation la plus violente qu'ils avaient à supporter. Ce décalage entre leur préméditation et la réalité abrupte. Subitement, ils matérialisaient que les choses avaient changé. Rien ne pouvait véritablement être comme avant. Même leur façon de se dire bonsoir avait été maladroite. Où fallait-il s'embrasser ? Ils hésitèrent, et les hésitations mènent toujours aux joues. Claire avait téléphoné en fin d'après-midi, et ils étaient convenus qu'elle passerait le soir même. Tous deux avaient été pris d'une vive excitation, d'une émotion proche des larmes, à l'idée de se revoir. De peutêtre se serrer dans les bras. Tous les deux ne rêvaient que d'une chose : du silence. Ils auraient tout donné pour ne pas avoir à s'expliquer, pour ne pas avoir à décortiquer les précisions de leurs incohérences, mais ce n'est jamais possible. Il fallait parler. Il fallait tenter de s'exprimer avec ce terrible handicap qui consiste à ne pas savoir ce que pense l'autre. Louise était partie dans sa chambre, à présent. Un apéritif avait été servi.

Les modalités sociales de la rencontre s'écartaient les unes après les autres pour ne laisser place qu'à une discussion qui serait technique. Ils s'étaient embrassés sur la joue.

Dans leur embarras, chacun cacherait ce qu'il savait de l'autre. Pour aujourd'hui et pour toujours, Claire ne lui dirait jamais qu'elle savait pour l'agence Dubrove. Et Jean-Jacques ne mentionnerait jamais directement les cours de russe. À travers ces deux détails, leur ambition était de ne surtout pas évoquer les zones d'ombre. Il fallait se concentrer sur le futur. Qu'allaient-ils faire ? Cette question était évidente, mais ils continuaient toujours de l'éviter soigneusement. Jean-Jacques guettait chaque gorgée de Claire pour lui proposer un nouveau verre, pour grappiller cette convivialité qui serait leur masque. Ils essayaient aussi de sourire de certaines banalités échangées. Tels ces couples qui se voient pour la première fois dans des rendez-vous arrangés, ils étaient à deux doigts de s'interroger sur leurs goûts musicaux.

Jean-Jacques savait à cet instant qu'il était en train de tout perdre. C'était à lui de prendre la situation en main, de parler. Son énergie du désespoir était une énergie du pur espoir. Il essaya d'avoir les mots justes.

« Claire, j'aimerais que tu me pardonnes.

— Mais je t'ai pardonné, Jean-Jacques. »

Et le dialogue s'était interrompu aussitôt. Bien sûr que Claire avait pardonné, le problème n'était pas là. Tout ce qui s'était passé entre eux pendant la crise n'avait pas été dramatique. Il n'y avait rien d'irrémédiable. Le pardon était évident. Leurs retrouvailles ne se jouaient pas sur ce terrain. Leurs retrouvailles dépendraient du degré d'intimité et de complicité qu'ils parviendraient à retrouver. Pourquoi étaient-ils si secs ? Même en se pardonnant, même en considérant que rien n'avait été très grave, ils comprenaient maintenant qu'il était très compliqué de reprendre un couple après une séparation. On oubliait les marques. On tombait souvent. On s'éraflait.

Ils furent déstabilisés. Enfoncés dans l'étonnement de leur propre malaise. Ils ne savaient pas où s'asseoir, que dire, que faire. Le pathétique passait lentement sur leur visage.

« Et sinon, tu as beaucoup de travail en ce moment ? osa Jean-Jacques.

— Je n'ai pas encore repris... Ça m'a fait du bien... de ne pas travailler.

— Oui, je comprends.

— Et toi, le travail ?

— Moi aussi... heu... j'avais besoin de repos... alors, je ne travaille pas... »

Leurs mots avaient peur de se casser.

Six ans auparavant, Claire avait crié de toutes ses forces en accouchant de Louise, et Jean-Jacques avait crié dans la maternité qu'il était devenu père. Certains l'avaient même applaudi. Les mots étaient alors si solides qu'on pouvait les lancer au loin.

Et puis, il y avait eu ce jour où ils avaient déménagé dans le quartier de leurs rêves. C'était le quartier où ils avaient dîné ensemble pour la première fois. Ils avaient voulu, à tout prix, vivre près de ce restaurant. L'essentiel est de toujours avoir un œil sur son premier bonheur. Le restaurant était devenu italien, mais ils étaient restés dans le quartier. Ils étaient bien ici, c'était un quartier central ; à partir de ce quartier, on pouvait aller partout. Leurs amis, Armand et Béatrice, n'habitaient pas très loin. Ils passaient souvent des soi-rées chez eux ; l'une d'entre elles, pour l'anniversaire de Béatrice, avait été immortalisée par une pellicule entière. Enfin presque. Il restait une photo, et Jean-Jacques avait pris Claire en photo. Elle s'était trouvée hideuse, ce jeudi après-midi.

« Je te trouve belle, osa encore Jean-Jacques.

— Merci, c'est gentil.

— Et sur cette photo, je ne sais pas si tu te souviens, la photo que tu ne voulais pas que je prenne, parce que tu te trouvais hideuse... Eh bien, tu étais très belle sur cette photo.

— C'est vieux tout ça. »

Peu de temps après la soirée entre amis, Armand et Béatrice avaient déménagé à Madrid. Ça ne se refusait pas, l'Espagne. Ils avaient donné des nouvelles au début, quelques coups de fils, des promesses de passer des vacances ensemble, et puis plus rien. Il y avait un an à peu près, Béatrice avait téléphoné pour annoncer qu'elle était de retour à Paris. Et qu'elle était revenue seule. Jean-Jacques avait laissé un blanc dans la conversation.

« Qu'est-ce qu'on fait ? demanda Claire.

— Tu veux faire quoi, toi ?

— Je veux être avec ma fille.

— Alors reviens, c'est simple.

— Non, ce n'est pas simple. On ne peut pas, comme ça... »

Ils ne savaient que faire de leurs mains. Jean-Jac-ques aurait voulu frôler le dos de Claire, mais c'était inenvisageable. Tout millimètre entre eux était une montagne à franchir. Ils étaient deux confusions avec des jambes. Dans ces conditions, reprendre une vie normale paraissait impossible. Trop étrangers l'un à l'autre, ils étaient acculés à la séparation. Ils décidèrent froidement de se partager le temps de garde de Louise. Ne pouvant la faire déménager en pleine année scolaire, ils alterneraient leur présence dans l'appartement. Une semaine Claire, une semaine Jean-Jacques. Et pendant la semaine hors de l'appartement, l'autre membre du couple irait à l'hôtel de l'avenue Junot.

Ils avaient trouvé ce compromis. Après avoir expliqué la situation à Louise, Claire repartit pour son hôtel. Elle laissait Jean-Jacques finir sa semaine. Une fois dans la rue, elle s'effondra en larmes. Deux heures plus tôt, en montant les marches, elle s'était imaginé beaucoup de choses ; mais certainement pas ça. « Il y a quelque chose de cassé », se répétait-elle. Jean-Jacques attendit que Louise soit couchée pour pleurer à son tour. Il savait très bien que leur accord n'avait été que l'antichambre d'un divorce.

II

Dans les étouffements de la vie conjugale, ils avaient rêvé de soirées imprécises, d'errances nocturnes où la suprême liberté consisterait à ne pas regarder sa montre. Ils avaient rêvé de ne plus être un emploi du temps. La légèreté leur paraissait être l'apanage du célibat. Si la situation actuelle pouvait se comparer au célibat, la légèreté n'existait toujours pas pour eux. Les semaines sans Louise étaient des semaines d'exclusion. Jean-Jacques et Claire restaient à l'hôtel la plupart de leurs soirs libres. Ils observaient d'un œil lointain la télévision, sans même le son. Les images s'excitaient puis ralentissaient après minuit. Chacun s'endormait toujours de son côté ; s'endormait, en quelque sorte, avec l'absence de l'autre.

Claire retourna au travail. Tout lui paraissait fade ; elle se sentait détachée, plus proche des avions. Elle pensa intégrer une œuvre caritative. Pendant son temps libre, elle serait bénévole pour servir des repas aux Restaurants du Cœur. Elle s'y rendrait un week-end sur deux, et quelques soirs par semaine. On lui avait expliqué que le plus important était de sourire. De proposer de la chaleur humaine. Ce qu'elle fit avec une grande énergie. Elle aussi puisait de la chaleur auprès de ces hommes et de ces femmes en marge de la société. C'était un troc sentimental. La saison commençait à peine, on allait affronter le froid. Dans l'esprit des gens, il y avait eu comme une inversion ; depuis l'été 2003, tout le monde redoutait la chaleur, on ne pensait que canicule. L'hiver, dans sa force habituelle, était passé au second plan. Le froid rassemblait les déshérités, les tassait dehors. Claire avait été touchée par sa proximité avec ceux qui venaient. La frontière était poreuse dans la fragilité humaine ; la pauvreté n'était même plus réservée à une élite.

Une jeune femme assez frêle avait paru si hésitante, passant et repassant. Leurs regards s'étaient croisés. Elle était venue spontanément vers Claire. Sans parler, elle s'approcha et Claire lui servit un bol de soupe.

Elle repartit en silence vers le silence.

Deux jours plus tard, Claire reconnut la jeune femme. Elle paraissait toujours aussi timide, mais s'adressa pourtant à elle d'une manière assez précise.

« Bonsoir.

— Bonsoir.

— Je m'appelle Clémence. »

Ce n'était pas la première fois que Claire apprenait le prénom d'une personne, mais cette fois-ci, elle fut surprise. La jeune femme semblait avoir fait un effort surhumain. Claire répondit qu'elle s'appelait Claire. L'échange fut assez bref, puisqu'il sombra aussitôt dans une gêne masquée par deux sourires. Le soir même, Claire regretta de n'avoir pas enchaîné, de n'avoir su créer un lien. Elle avait été ridicule et s'en voulait. Clémence avait dû faire un effort redoutable pour lui parler ainsi. Heureusement, Claire eut la possibilité de se rattraper dès le lendemain. Sans excès de mots, elles parvinrent finalement à entamer une discussion. Au bout de quelques jours, on pouvait même parler du début d'une certaine connivence.

*
* *

Elle raconta cet épisode de sa vie à Sabine. Depuis quelque temps, elle ne la voyait plus beaucoup, tout occupée qu'elle était à vivre un amour dévastateur. Dans un premier temps, Sabine n'avait pas osé dire à son amie que l'homme de sa vie était Édouard. Claire se mit à rire en l'apprenant. Il n'y avait aucune gêne ; on dit bien que le malheur des uns fait le bonheur des autres. Elle était sincèrement heureuse pour Sabine, mais cette dernière, en pleine euphorie des débuts de la passion, manquait de finesse et d'élégance. Elle occultait totalement les moments difficiles que Claire traversait ; et hochait machinalement la tête, quand elle lui parlait des Restaurants du Cœur. Ses oreilles étaient bouchées par son bonheur. Claire ne lui en voulait pas, et se réjouissait qu'elle vive enfin de quoi lui faire pétiller les yeux. Tout cela n'aurait qu'un temps, pensait-elle, en pensant à l'usure. Elle ne croyait pas si bien dire. Tout cela n'aurait qu'un temps, mais pas pour les mêmes raisons. Quelques mois plus tard, Édouard et Sabine mourraient.

*
* *

Un soir, après plusieurs phrases générales, Clémence osa :

« Claire... C'est un peu étrange... Mais j'aimerais vous demander quelque chose...

— ...

— Ce n'est pas ce que vous croyez... Le mieux serait que je vous explique. Est-ce qu'on pourrait prendre un café après votre service ? »

Claire avait été gênée par cette proposition. De toute évidence, elle aurait dû dire oui, le plus simplement possible, mais elle ne savait qu'en penser. Elle lui dit qu'elle allait réfléchir, et alla demander conseil à une bénévole de longue date. Il n'y avait pas de directive en la matière ; chacun était libre de faire ce qu'il voulait. Claire se sentait coupable d'envisager de refuser quoi que ce soit à Clémence. On ne pouvait pas faire des sourires ainsi pour ensuite ne pas accepter d'écouter quelqu'un qui vous le demandait. Elle accepta. Clémence l'attendit dans un café. Que voulait-elle ? Si elle lui demandait de l'argent, que pourrait-elle faire ? En marchant vers le rendez-vous, elle ne savait comment se comporter. Clémence se leva :

« Merci d'être venue.

— Je vous en prie.

— Voilà, c'est assez gênant... Je... Vous êtes toujours si... Enfin...

— Calmez-vous, je vous écoute... Si je peux vous aider, je le ferai... »

Clémence bégayait légèrement ; on eût dit que sa voix prenait le métro. Claire, en l'écoutant, trouva bien ridicules ses hésitations, et sa peur de se retrouver dans une situation complexe. Ce que racontait Clémence n'avait rien de désespérant. Elle n'arrivait pas à joindre les deux bouts, alors elle n'avait plus honte de venir manger gratuitement quand elle pouvait. Elle résuma brièvement sa vie ; surtout pour en venir assez rapidement au service à demander. Elle évoqua une rupture sentimentale d'une très grande violence. C'était ce qui l'avait le plus fragilisée. Après cette histoire, elle avait eu du mal à reprendre une vie normale ; elle avait pris du retard dans ses études, elle s'était sentie inadaptée. Au bout de deux ans maintenant, les choses allaient mieux ; elle suivait une formation qui lui permettrait de trouver un travail. Malgré toutes ses difficultés, elle paraissait si positive ; une énergie de vivre l'animait. Elle semblait persuadée que sa période noire touchait à sa fin. Et c'est ainsi qu'elle en vint au sujet qui concernait Claire.

« Voilà, j'ai rencontré quelqu'un.

— Très bien...

— Enfin, non, je ne l'ai pas rencontré... C'est-à-dire que je vais le rencontrer. Nous avons rendez-vous.

— Très bien.

— Oui, mais je ne peux pas y aller. »

Claire se mit à rire nerveusement. Cette discussion lui semblait étrange, presque surréelle. Et encore davantage quand elle comprit ce que lui demandait la jeune femme.

« Voilà... C'est tellement important pour moi... Nous nous sommes rencontrés sur Internet... Pendant deux ans, je n'ai jamais cru que je pourrais à nouveau reconstruire quelque chose... Et je sens que c'est fort entre nous... Mais je n'ose pas y aller... Je sais que tout ça doit vous paraître fou... Mais vous aviez l'air tellement douce, tellement gentille avec moi... Voilà, je sais que je n'y arriverai pas... Nous nous sommes mis tous les deux d'accord après un an de discussion... Cela a pris du temps, nous sommes très timides tous les deux... Enfin voilà, je ne peux pas... J'aimerais que vous y alliez à ma place... »

Après une brève hésitation, Claire accepta. Personne n'aurait refusé. Elle ne savait encore quels seraient ses mots. Elle ferait en sorte de décrire Clémence, en s'épanchant le plus possible sur ses qualités. De toute façon, on invente toujours mieux les qualités des autres. Finalement, la chose l'amusait. En rentrant à l'hôtel, elle voulut téléphoner à Jean-Jacques pour lui raconter cette histoire. Depuis des semaines, ils ne se racontaient que des éléments de vie lourds, des actes du quotidien sans légèreté. Mais elle se ravisa en émettant l'hypothèse que Jean-Jacques n'aimerait pas cette idée de rendez-vous avec un inconnu. Ainsi étaient ses rapports avec son mari ; elle ne lui disait jamais ce qu'elle avait l'intention de lui dire ; et réciproquement. Leur relation reposait sur le pire malaise qui soit, celui de la préméditation verbale.

Le lendemain soir, Claire entra dans le lieu du rendez-vous. Elle rechercha un homme avec une cravate jaune, puisque c'était le signe de reconnaissance. Il y avait beaucoup de fumée, mais son regard fut très vite happé par un point jaune. L'homme était assis bien en évidence. Quelques secondes suffirent à Claire pour s'immobiliser devant la table.

Face à la cravate jaune, elle cligna plusieurs fois des yeux.

Ce n'était pas possible.

III

Quelques ambitieux furent déçus du retour de Jean-Jacques au sein de l'entreprise. Ceux qui avaient misé sur une déprime fatale durent revoir leur plan d'attaque ; ils avaient commis quelques erreurs qui leur vaudraient sûrement une montée en étages. Jean-Jacques fut salué par tous les autres comme un authentique champion. À nouveau, on lui tapotait le dos, signe indéniable de retour à la vie sociale. Il préférait rester évasif sur sa vie, toujours persuadé que les mots figent les situations. Et cela, c'était hors de question. La séparation ne durerait pas ; bien sûr, ces pensées traversaient son esprit lors de moments positifs (les moments où on lui tapotait le dos), mais certains soirs, quand il végétait à l'hôtel, il n'hésitait pas à verser quelques larmes. Toujours, il se sentait responsable d'avoir précipité sa vie dans une impasse.

Édouard lui conseilla de faire du sport. Il devait à tout prix retrouver une certaine carrure, donner du prestige physique à son avenir.

« Regarde-toi dans une glace. Tes épaules ressemblent à des genoux… »

Culpabiliser physiquement était la dernière faille qu'il n'avait pas encore explorée chez lui. Mais c'était vrai, il voulait courir, il voulait souffrir, il voulait devenir un homme capable de monter à la volée après un service pourtant mou.

Près de l'hôtel, il y avait un club de tennis où il pourrait jouer certains soirs de ses semaines solitaires. Très vite, il fut confronté à une des pires angoisses existentielles du tennisman : comment trouver un partenaire ? Il végéta dans les couloirs du club, essayant de nouer quelque contact qui pourrait se révéler fructueux ; mais rien à faire, le tennisman est une race accompagnée. On eût dit qu'ils vivaient tous deux par deux, ou quatre par quatre pour les plus gourmands. Fallait-il soudoyer quelqu'un ? Ou guetter une raquette désœuvrée ? Il refusait de faire du mur, ça le déprimait par avance ; ce qu'il recherchait dans le sport, c'était aussi un échange humain. Et les murs, on avait vu mieux humainement. Puisque l'idée était venue d'Édouard, il lui proposa de venir jouer avec lui. Mais ce dernier était bien trop amoureux pour envisager le moindre gaspillage corporel. Il était dans ce temps de l'amour où courir après une balle est aussi ridicule que de courir après une autre femme.

« Il fallait me demander. Il y a un panneau avec des annonces pour que les joueurs puissent se rencontrer », lui avait dit le gérant du club de tennis, après avoir vu errer pendant deux semaines ce nouveau membre. Jean-Jacques, soulagé, s'approcha du panneau avec une certaine émotion. Les fiches détaillaient surtout le niveau, et les horaires disponibles. En bas de fiche était précisé le tennisman préféré du joueur, histoire de se regrouper par affinités. C'est aussi une façon de préciser l'ambiance ; si on met Lendl, on sent qu'on est là uniquement pour jouer, et qu'il n'y aura pas de fioritures verbales ; si on met Mac

Enroe, c'est qu'au fond, on aimerait bien un peu se foutre sur la gueule ; si on met Noah, c'est qu'au bout d'un petit set, on va se boire un coup ; etc. Jean-Jacques ne trouva personne correspondant à son niveau, alors il dut remplir une fiche. Il l'apposa délicatement sur le panneau en espérant qu'un joueur serait intéressé. À la catégorie « tennisman préféré », il avait répondu : « vous », espérant qu'une petite blague lui permettrait de prendre l'ascendant sur d'autres fiches. Il était assez fier de cette saillie humoristique, pourquoi pas. Et pour tout dire, elle eut son effet puisque, trois jours plus tard, il reçut un appel :

« Si je suis votre joueur préféré, alors je ne peux pas vous priver du plaisir de jouer avec moi… »

On s'amusait bien entre tennismen solitaires.

C'est ainsi que Jean-Jacques eut rendez-vous avec Jérôme. C'était une situation très étrange de se retrouver ainsi, sur un terrain, avec un inconnu. Ils ne s'étaient pas vraiment parlé, et les voilà qui échangeaient des balles. Quand on rencontre quelqu'un, on essaie toujours d'apparaître sous son meilleur jour ; les deux joueurs peaufinaient donc leurs coups d'une manière exagérée ; et quand ils envoyaient une balle en dehors du terrain, ils ne manquaient pas de s'excuser dans la seconde. C'était presque une partie de politesse qui se jouait entre eux. Et de mauvaise foi aussi, puisque Jean-Jacques ne comprenait pas pourquoi il n'arrivait à rien avec son revers *aujourd'hui*, alors qu'il n'était jamais arrivé à rien avec ce revers depuis toujours. Après ce premier match, les deux hommes discutèrent brièvement. Jérôme était assez timide, ce que son premier appel téléphonique n'aurait pas laissé augurer. C'était un jeune homme de vingt-trois ans qui travaillait dans une société informatique. Les yeux rivés toute la journée sur l'écran, il avait besoin de se défouler le soir. Si leurs motivations étaient similaires, leur vécu paraissait assez peu propice aux points communs. Ils échangèrent quelques banalités sportives et se mirent d'accord pour se revoir. Sans présager de la suite, une amitié entre ces deux hommes n'était pas une possibilité à exclure totalement.

Dès leur troisième match, ils décidèrent de dîner ensemble. Pour la première fois de sa vie, Jean-Jacques se retrouvait en face d'un homme plus jeune que lui. Il prit aussitôt goût à cette position qui le mettait indéniablement en valeur. On se sentait bien avec la jeunesse respectueuse. Les rapports étaient d'une facilité déconcertante. Ils parlèrent de leur travail, mais Jérôme ne voulait pas trop s'épancher sur ce qu'il faisait. Il préféra aborder un autre sujet :

« Tu dois avoir beaucoup d'expérience avec les femmes, non ? »

Voilà précisément la question à laquelle aucun homme ne peut répondre non. Jean-Jacques laissa sous-entendre que oui. Au bout de trois rencontres, le début de leur amitié prenait déjà quelques aises avec la vérité. Jérôme, lui, avait assez peu d'expérience avec les femmes, mais il se laissa aller à une confidence.

Puis après la confidence, se laissa aller à demander à Jean-Jacques un petit service.

Deux soirs plus tard, Jean-Jacques se regardait dans la glace et se trouvait bien ridicule avec cette cravate jaune. Assis dans un café enfumé, il ne parvenait pas vraiment à distinguer les entrants. Il avait envie de pleurer, sans trop savoir pourquoi, peut-être par nostalgie des moments où, dans sa vie, lui aussi avait été assis en train d'attendre une femme aimée ou une femme à aimer. Quand il vit Claire, il tenta de disparaître ; mais elle avait marché d'une manière si assurée vers lui. Ils restèrent une seconde sans bouger, puis elle se retourna et partit d'un pas précipité. Jean-Jacques se leva aussitôt pour la suivre, bousculant quelques personnes mal placées. Il était vivant. On trouvait dans cet instant tous les ingrédients de l'irréel.

Nous étions un 12 octobre.

Dans l'irréel, il pleut toujours. Après tout ce qu'ils avaient traversé, il leur manquait une poursuite mouillée, où, au travers des phares de voitures, ils manqueraient de mourir un peu. Jean-Jacques, qui avait repris le sport depuis peu, courait avec aisance, et fut très vite à hauteur du bras de Claire. Elle portait un imperméable, elle avait la beauté étouffante de ces femmes qui se débattent sans vraiment se débattre. Cette façon de pousser un homme, juste avant de l'embrasser.

« Comment as-tu pu me faire ça ? Tu dis que tu m'aimes, et tu dragues sur Internet ! Tu me dégoûtes... »

Jean-Jacques ne paniqua pas. Le simple fait d'avoir vu Claire, ce jour où il attendait une femme pour un autre homme, l'avait rempli d'un bonheur fabuleux. La confusion fut vite dissipée, le couple n'était pas sur un boulevard. Claire comprit que Jean-Jacques n'était pas le rendez-vous de Clémence, mais simplement le porte-parole d'un timide. Ils restèrent alors figés par leur hasard. La vie, dans sa plus grande dextérité, venait de les reconduire dans leur évidence. Sous la pluie, leurs larmes furent discrètes. Ils restèrent ainsi enlacés, émus comme au premier jour de leur émotion.

IV

Quelques jours plus tard, Jean-Jacques et Claire organisèrent une véritable rencontre entre Jérôme et Clémence. Ces deux-là se sentaient gênés, forcément, puisqu'il s'agissait de leur première rencontre. Ils étaient très étonnés d'avoir tous deux eu recours à une tierce personne ; c'était un point commun supplémentaire, et non des moindres. Ils remercièrent Jean-Jacques et Claire pour ce qu'ils avaient fait.

« Non, c'est nous qui vous remercions..., avait dit Jean-Jacques.

— Oui, c'est nous qui vous remercions », avait insisté Claire.

Ils étaient encore ébahis par la situation. Si deux inconnus devant se rencontrer les choisissaient eux, par le plus grand des hasards, tous les doutes étaient morts. Ils se tenaient la main. Jérôme et Clémence riaient aussi de la situation. Ils partirent ensemble, marchant tout doucement, comme si leurs pas pouvaient créer des fissures sur le sol. Ils entrèrent dans un immeuble, prirent l'ascenseur. Dans l'espace confiné, aucune gêne n'était perceptible entre eux. Devant une porte, ils sonnèrent. Igor ouvrit avec une nonchalance qui ne lui ressemblait pas. En entrant, ils saluèrent aussi Ibàn ; assis, feuilletant une revue, il fit un geste brouillon. La mécanique de ces bon-jours évoquait une vieille amitié. Autour d'un thé, ils parlèrent des derniers événements de cette mission, et se réjouirent de sa réussite (même si on percevait des soupçons de mélancolie dans cette réjouissance). Quelques semaines plus tôt, l'idée avait surgi dans le cerveau d'Igor (une idée russe, forcément). Elle consistait à plonger deux personnes dans un moment qu'ils estimeraient extraordinaire. Ils avaient juste besoin d'être rassurés par la vie, de trouver les signes nécessaires à la poursuite de leur union. Peu importe que ces signes soient factices ou non. Pendant des mois et des mois, Jean-Jacques et Claire analyse-raient la situation, et jamais ils ne pourraient imagi-ner la machination dont ils avaient été les heureuses victimes :

« Tu te rends compte, c'est fou quand même...

— Oui, c'est fou...

— La probabilité pour que ces deux personnes...

— Nous demandent à tous les deux...

— Oui c'est fou... »

Ils s'embrasseraient, prouvant ainsi, par leurs lèvres, que plus les choses sont grossières, moins on peut les mettre en doute.

Jérôme et Clémence repartirent vers leurs vies dont nous ne savons rien. Quant aux cousins, ils sortirent pour aller au cinéma. Depuis le temps qu'il attendait, Igor était content qu'un cinéma se soit enfin décidé à projeter *Les Ailes du désir*. Ils pensaient être seuls dans la salle, mais, une seconde avant le début, une jeune femme entra. Elle s'installa près d'eux.

C'était Sonia.

Le film commença, et les premiers mots furent :

Lorsque l'enfant était enfant,
Il marchait les bras ballants,
Voulait que le ruisseau soit rivière et la rivière fleuve,
Que cette flaque soit la mer.

Lorsque l'enfant était enfant,
Il ne savait pas qu'il était enfant,
Tout pour lui avait une âme et les âmes étaient unes.

Lorsque l'enfant était enfant,
Il n'avait d'opinion sur rien...

V

René allait mourir les mains dans les poches huit ans plus tard. D'ici là, il passerait son temps à ne pas faire grand-chose. Lui qui avait été une gloire des mains se tournait maintenant les pouces dans un rythme sans variation. Il végéterait, marcherait doucement entre les fleurs de son jardin, mais ne caresserait jamais une rose. Il éviterait le plus soigneusement possible le coin du jardin où était installé le hamac. De loin, il observerait l'objet, lui vouant une haine précise, le considérant comme un véritable tombeau pour les hommes. Un jour, et ce serait l'apothéose de sa fin de vie à ne rien faire, il braverait tous les dangers de son souvenir, et arracherait le hamac à ses arbres éternels. Et il le brûlerait alors, à même le sol. Les lambeaux du hamac partiraient en fumée au-dessus de Marnes-la-Coquette, et les femmes de la ville, sans trop savoir pourquoi, n'aimeraient pas cette odeur de brûlé (l'odeur de la faiblesse des hommes). Hypnotisé, René embrasserait du regard la moindre braise, grappillerait la moindre agonie du feu. Cet acte serait comme une rébellion, une impression illusoire de braver la mécanique qui broie les hommes. Ces instants où le hamac partirait en fumée lui tireraient quelques larmes qui brouilleraient sa vision.

Et le brouillard des braises fumantes le ferait disparaître au regard d'un potentiel visiteur.

Après avoir fui la maison conjugale, Renée s'était sentie investie d'une mission ; celle de retrouver son passé. Elle s'était alors précipitée à Orly pour prendre un avion en direction de Venise. Une fois arrivée, Renée pénétra dans la première pension venue, et prit une chambre puis un annuaire. Elle y trouva le nom de celui qu'elle avait tant aimé. Les choses de la vie peuvent être si simples ; il est alors si ridicule de ne pas les vivre.

Bien sûr que non, ce n'est jamais si simple. On passe notre temps à aimer des souvenirs qui, eux, nous oublient. Chaque grain de nostalgie est un rétrécissement du chemin nous menant à la mort. Devant la maison de Marcello, Renée tremblait de tout son corps ; sa vie était là, ramassée dans une impasse à l'éclairage instable. Elle se sentait dans un décor en carton-pâte, comme si tout ce qui se passait n'était que l'écho d'un rêve, d'une irréalité théâtrale. Comme par magie, la porte de Marcello était entrouverte ; elle pouvait s'y glisser, et peut-être le contempler en silence. Elle entra dans la maison. Aussitôt, elle le vit. Marcello. L'homme de sa vie, son mythe. Celui qu'elle n'avait jamais cessé d'aimer. Celui qui avait rendu sa vie médiocre. Jamais Renée n'avait eu la lucidité de ne pas comparer ce qui n'était pas comparable ; il est trop facile de mourir pour une seconde n'appartenant pas à notre routine. Les mots alors, tout comme les gestes, nous éclaboussent de leur fausse facilité. Renée avait aimé en Marcello ce qu'elle n'aimait pas dans sa vie. C'est-à-dire tout.

Dans un premier temps, elle ne voulut pas voir à quel point il avait vieilli ; à quel point, aujourd'hui, il ne serait plus capable de se pencher sous un évier. À quel point il ne pourrait l'aimer contre les portes et les murs. Mais au moment où sa conscience admit la décrépitude de son jeune amant, elle fut aussitôt paralysée par une autre évidence ; plus terrible encore. Celle de sa propre décrépitude. Dans son souvenir, elle était belle, car les souvenirs ne vieillissent pas. Le socle de son mythe venait de se confronter au temps. Elle voulut faire demi-tour, mais elle s'approcha de la table. Marcello la vit. Il passa sa main (sa main que Renée avait tant aimée) sur son visage pour être bien sûr de ne pas rêver.

« Que fais-tu là ?... Ça fait si longtemps... Tu veux quelque chose ?

— ...

— Mais dis-moi ! Tu ne peux pas rester là sans rien dire. Comme un fantôme.

— Je voulais te revoir, c'est tout.

— Eh bien voilà, c'est fait. »

Quelques secondes plus tard, Renée était repartie. Le soir même, Marcello eut du mal à s'endormir. Il regrettait son attitude. Mais il n'avait pas supporté cette intrusion si brutale de son passé. Il voulait oublier tout ce qu'il avait vécu. Renée, elle, avait erré comme une ombre. Après avoir été un fantôme, son entreprise ne débordait décidément pas de charisme. Elle avait trouvé minable la réaction de Marcello. Atroce, même. Il avait été d'une froideur atroce. Mais qu'attendait-elle vraiment ? Elle ne le savait pas. Il lui semblait seulement que toute sa vie, elle avait rêvé d'un homme qui n'avait été qu'un mythe, une trans-gression, un corps. Elle avait gâché sa vie pour un bonheur éphémère. Elle avait été une mère médiocre et une épouse médiocre. Elle était pleine d'aigreur, et, pourtant, une joie précise s'emparait d'elle. Renée venait de comprendre la faille de son existence, ce n'était pas rien. La compréhension du minable est toujours mieux que la pérennité du minable. Qui sait, elle pouvait espérer être une femme meilleure maintenant. Aider les autres. Donner de l'amour : en grattant le fond de son cœur, elle devrait bien pouvoir trouver de quoi aider quelques désœuvrés affectifs. Elle prit un bateau en direction de l'île du Lido. Le Grand Hôtel était fermé à cette époque. L'ambiance d'hiver des stations balnéaires est toujours assez similaire aux ambiances des coulisses de théâtre en journée, des plateaux de cinéma les jours sans tournage, aux visages des clowns dans leur solitude. C'était une déprime qui avait l'avantage d'offrir un espoir. L'espoir que tout recommencerait bientôt, dans un nouvel élan de l'illusion. Renée se laissait happer par le vide. Sur la plage, le brouillard s'installait pour la nuit. Il n'y avait plus personne ; mais s'il y avait eu une personne, elle n'aurait pas pu voir Renée.

ÉPILOGUE

Les histoires de nos vies sont rondes ; on retrouvait quelques mois plus tard les dispositions du prologue. Mais si Jean-Jacques rentrait du travail à la même heure, les choses étaient fondamentalement différentes : il prenait l'ascenseur, ouvrait la porte en souriant, et se précipitait vers Louise. Elle n'était plus obligée d'avoir tant d'activités, on laisserait son tempérament se dessiner de lui-même. Quant à Claire, il l'embrassait avec la saveur égoïste du bonheur sur ses lèvres (le drame kurde ne l'effleurait plus). Ces soirs du renouveau, il n'était pas rare de sentir flotter une odeur exotique ; une ambiance de paprika ou de gingembre. C'était une tentative comme une autre de se déraciner. Il fallait tenter de perdre pied, tenter de vivre chaque jour avec une nouvelle énergie ; tenter de croire que tout n'était pas forcément voué à la dégradation.

Claire raconta sa journée à Roissy. Le moment important avait été les embrassades avec Caroline qui partait, en tant que jeune fille au pair, pour un an à Chicago. Elle promettait d'écrire le plus souvent possible ; ce qu'elle ne ferait pas. Claire avait regardé l'avion dans le ciel ; cela avait duré le temps qu'il avait mis pour pénétrer dans la masse des nuages. Depuis l'annonce de son départ, Jean-Jacques et Claire avaient cherché une nouvelle baby-sitter. Et c'était justement en cherchant, et en se confrontant à plusieurs déceptions, qu'ils se rendirent compte de la gentillesse et du sens des responsabilités de Caroline. Au bout de quelque temps, alors qu'ils étaient découragés, ils trouvèrent ce qu'on appelle communément une perle. Surgie de nulle part, elle était apparue comme une évidence. En quelques minutes, elle ferait oublier tant de jeunes femmes.

Son prénom était Carole.

Elle s'occupa de Louise pendant le week-end (en amoureux) qu'avait réservé Jean-Jacques. Week-end amputé de son merveilleux par une terrible nouvelle survenue quelques jours auparavant : Édouard et Sabine étaient morts dans un accident d'avion ; un petit avion qui devait leur permettre de rejoindre une île de rêve. Jean-Jacques et Claire pleurèrent pendant des heures, tentant de se consoler mutuellement. Ils ne pouvaient en prendre conscience, mais ce drame les unissait davantage encore. Le bonheur et le malheur n'en finissaient pas de se séduire. L'enterrement fut insoutenable. Pour se rassurer, tout le monde pensait qu'ils avaient été heureux dans leurs derniers moments.

« Oui, ils sont morts dans le bonheur... »

L'accident avait été d'une brutalité inouïe. Mais surtout d'une brutalité immédiate. D'une seconde à l'autre, tout le monde était mort. Et la seconde entre Édouard et Sabine avait été une seconde où leurs lèvres étaient unies.

Jean-Jacques et Claire avaient décidé de ne pas annuler leur voyage ; c'était une façon de respecter les morts que de continuer à vivre. Ils prirent le train, et arrivèrent à Genève le vendredi en fin d'après-midi. C'était leur ville, Genève. Ils n'y étaient pas retournés depuis le voyage mythologique de leur amour. Tout recommençait maintenant, avec encore plus d'émotion peut-être. Avec une façon de s'aimer plus assurée, sûrement. Ils marchèrent dès ce premier soir sur leurs propres traces, laissant leurs souvenirs venir à eux. Autour du lac, ils pensaient à leurs amis. Entre leur propre bonheur retrouvé qui les propulsait dans des rires nerveux, et la tristesse de la mort de leurs amis qui les propulsait dans des larmes nerveuses, ils touchaient au cœur de la vie. À sa nostalgie et à sa puissance. Ils n'avaient pas faim, ils voulaient marcher pendant des heures. Maintenant, le silence prenait place entre eux, laissant les gestes échanger les mots de la tendresse. Claire prit la main de Jean-Jacques et la posa sur son ventre.

FIN

Remerciements

Pour ce roman, et les autres, je remercie Muriel Foenkinos pour son aide si précieuse de tout instant. Un grand merci également à Muriel Gilbert et Fabienne Batorski.

8257

Composition
NORD COMPO

Achevé d'imprimer en Espagne
par BLACK PRINT CPI
le 3 août 2012.

EAN 9782290353622
1er dépôt légal dans la collection : février 2007

ÉDITIONS J'AI LU
87, quai Panhard-et-Levassor, 75013 Paris

Diffusion France et étranger : Flammarion